1580242671

中华人民共和国国家标准

煤矿设备安装工程施工规范

Code for construction of coal mine equipment
installation engineering

GB 51062-2014

主编部门：中 国 煤 炭 建 设 协 会
批准部门：中华人民共和国住房和城乡建设部
施行日期：2 0 1 5 年 8 月 1 日

中国计划出版社

2014 北 京

中华人民共和国国家标准
煤矿设备安装工程施工规范
GB 51062-2014
☆
中国计划出版社出版
网址:www.jhpress.com
地址:北京市西城区木樨地北里甲 11 号国宏大厦 C 座 3 层
邮政编码:100038 电话:(010) 63906433 (发行部)
新华书店北京发行所发行
北京市科星印刷有限责任公司印刷

850mm×1168mm 1/32 7.75 印张 197 千字
2015 年 7 月第 1 版 2015 年 7 月第 1 次印刷
☆
统一书号:1580242·671
定价:47.00 元

版权所有 侵权必究
侵权举报电话:(010) 63906404
如有印装质量问题,请寄本社出版部调换

中华人民共和国住房和城乡建设部公告

第 671 号

住房城乡建设部关于发布国家标准《煤矿设备安装工程施工规范》的公告

现批准《煤矿设备安装工程施工规范》为国家标准,编号为 GB 51062—2014,自 2015 年 8 月 1 日起实施。其中,第 3.0.10、12.6.3、16.4.1 条为强制性条文,必须严格执行。

本规范由我部标准定额研究所组织中国计划出版社出版发行。

中华人民共和国住房和城乡建设部
2014 年 12 月 2 日

前 言

本规范是根据住房城乡建设部《关于印发〈2008年工程建设标准规范制订、修订计划(第二批)〉的通知》(建标〔2008〕105号)的要求,由中煤矿山建设集团有限责任公司会同有关单位共同编制完成的。

本规范在编制过程中,编制组认真学习有关现行法律、法规及标准,并进行广泛深入的调查研究,总结了多年来煤矿机械设备工程安装的施工经验,对规范条文反复讨论修改,广泛征求有关单位和专家意见完成报批稿,最后报住房城乡建设部经审查定稿。

本规范以黑体字标志的条文为强制性条文,必须严格执行。

本规范共分16章和1个附录,主要技术内容包括:总则、术语、基本规定、提升系统安装工程、矿井运输系统设备安装工程、通风系统设备安装工程、压气系统安装工程、排水系统安装工程、水处理设备安装工程、瓦斯抽排系统安装工程、矿井管道安装工程、井下采掘设备安装工程、矿井其他机械设备安装工程、井下空气调节系统安装工程、斗轮式堆取料机设备安装工程、计量设备安装工程等。

本规范由住房城乡建设部负责管理和对强制性条文的解释,由中国煤炭建设协会负责日常管理,由中煤矿山建设集团有限责任公司负责具体技术内容的解释。本规范在执行过程中,请各单位注意总结经验,积累资料,将意见和相关资料寄送至中煤矿山建设集团有限责任公司(地址:安徽省合肥市政务区习友路898号,邮政编码:230071),以供今后修订时参考。

本规范主编单位、参编单位、参加单位、主要起草人和主要审查人:

主 编 单 位:中煤矿山建设集团有限责任公司
参 编 单 位:平煤神马建工集团有限公司
　　　　　　中煤第一建设公司
　　　　　　中煤第五建设公司
参 加 单 位:煤炭工业合肥设计研究院
　　　　　　淮北矿业集团公司
主要起草人:李理化　黄庆宏　陈绪文　郑　屿　王敏建
　　　　　　刘炳炎　吴世权　汪指南　温富成　潘俊祥
　　　　　　施云峰　刘玉森　轩传友　廖鸿志　冯旭东
　　　　　　胡春军　陈道柱　魏金山　吴向东　王　军
　　　　　　阙胜利　李春明　曹椿梅　张昌顺　高万山
　　　　　　宋爱东　王　宁　王　俊　田　敏　郭发金
　　　　　　武　杰　杨卫东　段昌桂　李　祥　王　键
主要审查人:张胜利　黄家贫　孙守仁　齐　彧　刘和毅
　　　　　　张世良　陈　付　屈福民　安明富　杜洪林
　　　　　　罗金良　黄通才　左清孝　崔晓林　卢　毅

目　次

1 总　　则 …………………………………………………… （ 1 ）
2 术　　语 …………………………………………………… （ 2 ）
3 基本规定 …………………………………………………… （ 4 ）
4 提升系统安装工程 ………………………………………… （ 6 ）
　4.1 多绳摩擦式提升机安装 ……………………………… （ 6 ）
　4.2 缠绕式提升机及矿用提升绞车安装 ………………… （12）
　4.3 立井井筒装备安装 …………………………………… （15）
　4.4 钢结构井架安装 ……………………………………… （18）
　4.5 井底装载硐室设备安装 ……………………………… （23）
　4.6 井口受煤坑及卸载曲轨安装 ………………………… （24）
　4.7 井底撒煤清理设备安装 ……………………………… （25）
　4.8 井上、下操车设备安装 ……………………………… （26）
　4.9 提升设施安装 ………………………………………… （28）
　4.10 提升系统试运转 …………………………………… （30）
5 矿井运输系统设备安装工程 ……………………………… （32）
　5.1 胶带输送机安装 ……………………………………… （32）
　5.2 固定式刮板输送机安装 ……………………………… （34）
　5.3 转载机安装 …………………………………………… （35）
　5.4 斜井人车 ……………………………………………… （36）
　5.5 梭式矿车 ……………………………………………… （36）
　5.6 卡轨车 ………………………………………………… （37）
　5.7 架空乘人装置 ………………………………………… （37）
　5.8 齿轨车 ………………………………………………… （39）
　5.9 单轨吊车 ……………………………………………… （40）

· 1 ·

6 通风系统设备安装工程 …… （41）
6.1 一般规定 …… （41）
6.2 离心式通风机安装 …… （42）
6.3 轴流式通风机安装 …… （43）
6.4 反风装置安装 …… （45）
6.5 防爆盖安装 …… （46）
6.6 试运转 …… （46）

7 压气系统安装工程 …… （48）
7.1 一般规定 …… （48）
7.2 压缩机安装 …… （48）
7.3 室内管路及附属设施安装 …… （53）
7.4 试运转 …… （54）

8 排水系统安装工程 …… （57）
8.1 一般规定 …… （57）
8.2 离心泵安装 …… （57）
8.3 潜水电泵安装 …… （59）
8.4 室内管道及附件安装 …… （60）
8.5 试运转 …… （60）

9 水处理设备安装工程 …… （63）
9.1 一般规定 …… （63）
9.2 污水处理设备安装 …… （63）
9.3 井下水净化设备安装工程 …… （66）
9.4 试运转 …… （67）

10 瓦斯抽排系统安装工程 …… （68）
10.1 一般规定 …… （68）
10.2 固定式瓦斯泵站设备安装 …… （68）
10.3 移动式瓦斯抽排泵站设备安装 …… （69）
10.4 室内管道及附属设施安装 …… （70）
10.5 试运转 …… （71）

11 矿井管道安装工程 ……………………………………（73）
11.1 一般规定 …………………………………………（73）
11.2 排水、供水、洒水管道安装 ……………………（73）
11.3 压缩空气管道安装 ………………………………（82）
11.4 瓦斯抽排管道安装 ………………………………（84）
11.5 注氮管道安装 ……………………………………（87）

12 井下采掘设备安装工程 ………………………………（88）
12.1 一般规定 …………………………………………（88）
12.2 液压支架安装 ……………………………………（88）
12.3 悬移顶梁及滑移顶梁液压支架安装 ……………（90）
12.4 滚筒式采煤机安装 ………………………………（92）
12.5 刨煤机安装 ………………………………………（96）
12.6 乳化液泵站与喷雾泵站安装 ……………………（97）
12.7 掘进机、连采机、挖装机安装 …………………（99）
12.8 破碎机安装 ………………………………………（102）
12.9 除铁器安装 ………………………………………（107）

13 矿井其他机械设备安装工程 …………………………（109）
13.1 无极绳绞车、凿井绞车及其他各类小型绞车安装 …（109）
13.2 翻车机安装 ………………………………………（111）
13.3 排矸设备安装 ……………………………………（112）
13.4 卸载站安装 ………………………………………（114）
13.5 注氮设备安装 ……………………………………（115）
13.6 液压注浆泵安装 …………………………………（119）
13.7 液压泵站安装 ……………………………………（121）
13.8 泥浆泵安装 ………………………………………（122）
13.9 闸门安装 …………………………………………（125）
13.10 溜槽安装 …………………………………………（126）
13.11 甲带式给料机安装 ………………………………（127）
13.12 防跑车装置 ………………………………………（129）

14 井下空气调节系统安装工程	(131)
14.1 空气加热室设备安装	(131)
14.2 制冷系统设备安装	(135)
15 斗轮式堆取料机设备安装工程	(143)
15.1 一般规定	(143)
15.2 臂式斗轮堆取料机安装	(143)
15.3 门式斗轮堆取料机安装	(146)
15.4 试运转	(148)
16 计量设备安装工程	(150)
16.1 一般规定	(150)
16.2 电子轨道衡安装	(150)
16.3 电子皮带秤安装	(152)
16.4 核子秤安装	(155)
附录A 机械设备通用部分安装通用规定	(158)
本规范用词说明	(192)
引用标准名录	(193)
附:条文说明	(195)

Contents

1 General provisions ······································· (1)
2 Terms ·· (2)
3 Basic requirement ·· (4)
4 Hoisting systems installation engineering ················ (6)
   4.1 Multi-rope friction mine hoist installation ··················· (6)
   4.2 Winding hoisting machine and mine hoisting
       machine installation ·································· (12)
   4.3 Vertical shaft equipment installation ····················· (15)
   4.4 Steel structural derrick installation ······················ (18)
   4.5 The bottom of the well loaded cave room
       equipment installation ································· (23)
   4.6 Wellhead coal-storing pit and unloading curved
       rail installation ······································· (24)
   4.7 Bottom of the well to sprinkle coal cleaning
       equipment installation ································ (25)
   4.8 Wellhead and downhole car-operating device installation ··· (26)
   4.9 Hoisting equipment installation ·························· (28)
   4.10 Hoisting systems commissioning and test running ········· (30)
5 Mine transportation system equipment
   installation engineering ································· (32)
   5.1 transsship conveyor installation ·························· (32)
   5.2 Fixed scraper conveyor installation ······················ (34)
   5.3 Reprint machine installation ····························· (35)
   5.4 Inclined shaft manriding car ···························· (36)

5.5 Shuttle car ………………………………………… (36)
5.6 Road railer ………………………………………… (37)
5.7 Aerial passenger device ………………………… (37)
5.8 Rack locomotive ………………………………… (39)
5.9 Overhead monorail ……………………………… (40)
6 Ventilation system equipment installation engineering ………………………………………… (41)
6.1 General provisions ……………………………… (41)
6.2 Centrifugal fans installation …………………… (42)
6.3 Axial-flow fan installation ……………………… (43)
6.4 Reversing air device installation ……………… (45)
6.5 Explosion-proof cover installation …………… (46)
6.6 Commissioning and test running ……………… (46)
7 Compressed air system installation engineering ……… (48)
7.1 General requirement …………………………… (48)
7.2 Air compressor installation …………………… (48)
7.3 Indoor piping and accessories installation …… (53)
7.4 Commissioning and test run …………………… (54)
8 Drainage system installation engineering ………… (57)
8.1 General requirement …………………………… (57)
8.2 Centrifugal pump installation ………………… (57)
8.3 Submersible pump installation ………………… (59)
8.4 Indoor piping and accessories installation …… (60)
8.5 Commissioning and test run …………………… (60)
9 Water treatment equipment installation engineering ………………………………………… (63)
9.1 General requirement …………………………… (63)
9.2 Sewage Treatment Equipment Installation …… (63)
9.3 Underground water purification equipment installation …… (66)

9.4 Commissioning and test run (67)
10 Gas drainage system installation engineering (68)
  10.1 General requirement (68)
  10.2 Fixed gas drainage equipment installation (68)
  10.3 Mobile gas drainage station equipment installation (69)
  10.4 Indoor piping and accessories installation (70)
  10.5 Commissioning and test run (71)
11 Mine pipeline installation engineering (73)
  11.1 General requirement (73)
  11.2 Drainage, water supply, sprinkler pipe installation (73)
  11.3 Compressed air piping installation (82)
  11.4 Methane drainage pipe installation (84)
  11.5 Nitrogen injection pipeline installation (87)
12 Underground coal mining equipment installation engineering (88)
  12.1 General requirement (88)
  12.2 Hydraulic support installation (88)
  12.3 Hydraulic supports for suspended shift and sliding of roof beams installation (90)
  12.4 Drum shearer installation (92)
  12.5 Coal plough installation (96)
  12.6 Emulsion pump station and the spray pump station installation (97)
  12.7 Roadheader, continuous miner, digging bucket rock loader installation (99)
  12.8 Crushing machinery installation (102)
  12.9 De-ironing separator installation (107)
13 Mine other machinery and equipment installation engineering (109)

13.1 Endless rope winch, sinking hoist winch and other types of small winch installation ………………………… (109)

13.2 Dumper installation …………………………………… (111)

13.3 Discharge refuse equipment installation ……………… (112)

13.4 Unloading station installation ………………………… (114)

13.5 Nitrogen injection equipment installation …………… (115)

13.6 Hydraulic injection pump installation ………………… (119)

13.7 Hydraulic pump station installation …………………… (121)

13.8 Mud pump installation ………………………………… (122)

13.9 Gate installation ……………………………………… (125)

13.10 Chute installation ……………………………………… (126)

13.11 Armored belt feeder installation ……………………… (127)

13.12 Inclined shaft anti running device …………………… (129)

14 Underground air-conditioning system installation engineering …………………………………………………… (131)

14.1 Air heating room equipment installation ……………… (131)

14.2 Refrigeration system equipment installation ………… (135)

15 Bucket wheel stacker and reclaimer equipment installation engineering …………………………………… (143)

15.1 General requirement …………………………………… (143)

15.2 Arm bucket wheel stacker and reclaimer installation …… (143)

15.3 Gate bucket wheel stacker and reclaimer installation …… (146)

15.4 Commissioning and test run …………………………… (148)

16 Metering equipment installation engineering ………… (150)

16.1 General requirement …………………………………… (150)

16.2 Electronic track scale installation ……………………… (150)

16.3 Electronic beltscale installation ………………………… (152)

16.4 Nuclear scale installation ……………………………… (155)

Appendix A common part of the installation of machinery

and equipment general provisions .... (158)

Explanation of wording in this code .... (192)

List of quoted standards .... (193)

Addition:Explanation of provisions .... (195)

1 总　　则

1.0.1 为了保证煤矿设备安装工程施工质量,促进安装施工技术的进步,确保设备安全运行,制定本规范。
1.0.2 本规范适用于煤矿建设及生产系统设备安装工程的施工。
1.0.3 煤矿设备安装工程的施工除应符合本规范外,尚应符合国家现行有关标准的规定。

2 术 语

2.0.1 操平找正 operating level alignment

设备就位后,通过调整使设备的标高、水平度和中心线位置偏差达到规范规定的质量标准。

2.0.2 矿井提升机 mine winder; mine hoist

利用钢丝绳牵引提升容器沿井筒或斜坡道进行提升的机械,分缠绕式提升机和摩擦式提升机。

2.0.3 封口盘 shaft cover

立井井筒施工过程中,为防止坠物伤人,在井口设置的盘状封口。

2.0.4 吊盘 sinking platform

悬吊于井筒中可以升降的双层或多层盘状结构物,用于立井井筒掘进、永久支护、安装等作业。

2.0.5 标准段 standard section

立井井筒装备中,各层梁、罐道一致的区段。

2.0.6 桅杆 mast

也称抱杆,是一种常用起吊机具,与凿井绞车、滑轮组、钢丝绳等配合达到起吊目的。

2.0.7 硐室 chamber

在煤矿井下,专为安装各种机械设备或存放材料、矿石和供其他辅助作业及办公、避险使用的巷道。

2.0.8 热硫化 hot cure

橡胶中加入硫化剂,经加热使橡胶分子产生交联反应,成为高弹性的硫化胶。

2.0.9 填料 packing

填料泛指被填充于其他物体中的物料。

2.0.10 填料函 stuffing box

机器的转动轴或往返运动的圆杆穿过机器的固定部分所装设的密封装置。

2.0.11 平衡盘 balance disc

用于平衡转子轴向推力的等直径的凸起台阶。

2.0.12 管道 piping

由管道组成件和管道支架组成,用以输送、分配、混合、分离、排放、控制和制止液体流动的管道、管件、法兰、连接螺栓、垫片、阀门和其他组成件或受压部件的装配总成。

2.0.13 管道组成件 piping components

用于连接或装配管道的元件。它包括管道、管件、法兰、垫片、紧固件、阀门以及膨胀接头、挠性接头、耐压软管、疏水器、过滤器和分离器等。

2.0.14 管道支承件 pipe-supporting elements

管道安装件及附着件的总称。

2.0.15 安装件 attachments(附加装置)

将负荷从管道或管道附着件上传递到支承结构或设备上的元件,包括吊杆、弹簧支吊架、斜拉杆、平衡锤、松紧螺栓、支撑杆、链条、导轨、锚固件、鞍座、垫板、滚柱、托座和滑动支架等。

2.0.16 附着件 structural attachments

用焊接、螺栓连接或夹紧等方法附装在管道上的零件,包括吊(支)耳、圆环、夹子、吊夹、紧固夹板和裙式管座等。

2.0.17 盘车 turning machine for alignment

用人工或机械、电气方法推动机组缓慢转动。

2.0.18 胶带展放 tape commence laying

在输送机安装中,胶带从卷筒上展开铺放的过程。

3 基本规定

3.0.1 煤矿机械设备安装工程施工前应有相应的技术标准、施工组织设计、施工方案、安全技术措施、技术安全交底等技术文件。

3.0.2 设备安装施工中使用的各种计量和检测器具、仪器、仪表和设备,应符合国家现行计量法规的规定,其精度等级不得低于被检对象的精度等级。

3.0.3 煤矿机械设备安装应按规定的程序进行,相关各专业工种之间应交接检验,形成记录;本专业各工序应按施工技术标准进行质量控制,每道工序完成后应进行检查,形成施工原始记录。上道工序未经检验认可,不得进行下一道工序施工。

3.0.4 设备安装前,应对下列设备进行详细的检查和验收:
 1 设备随机技术文件:包括装箱单、产品合格证、产品使用和维护说明书、产品检测、检验报告、设备基础图及安装图等;
 2 设备外形:包括防腐蚀、变形及破损情况等;
 3 随机零部件:包括各种随机零件、部件、配件、专用工具等。

3.0.5 设备安装前,应对设备基础进行验收,其内容应包括基础十字线、标高、主要预留螺栓孔位置、尺寸及深度、主要预埋件位置及基础表面质量等;设备基础应符合现行国家标准《混凝土结构工程施工质量验收规范》GB 50204 的有关规定,并应有验收资料和记录。

3.0.6 安装工程所用材料,应符合工程设计及其产品标准的规定,安装前应对材料进行检查和验收,并应做好记录。

3.0.7 设备的基础灌浆及其他隐蔽工程,在隐蔽前应通知有关单位验收,并应形成隐蔽工程验收文件。

3.0.8 在立井、斜井中运输材料和设备安装时,应采取有效的防坠物、防跑车等安全技术措施。

3.0.9 对于大型设备或有特殊要求的设备安装，应编制合理的设备运输、装卸、就位方案。

3.0.10 井下进行电焊、气焊、切割时，必须制定安全措施，指定瓦检员随时测量瓦斯及其他有害气体的浓度，在确认作业地点附近20m范围内瓦斯浓度低于0.5%时，方准作业。

3.0.11 设备安装工程采用的新技术、新工艺、新材料、新设备，使用前应按其质量标准进行检(试)验。

3.0.12 机械设备运转中，各部轴承温升和最高温度应符合下列规定：

 1 滑动轴承温升不应超过35℃，最高温度不应超过70℃；

 2 滚动轴承温升不应超过40℃，最高温度不应超过80℃。

4 提升系统安装工程

4.1 多绳摩擦式提升机安装

4.1.1 多绳摩擦式提升机安装应符合下列基本规定：

  1 安装前，对临时建筑、运输道路，水源、电源、照明、消防设施，主要材料和机具及劳动力安排等应有充分准备，并作出合理安排；

  2 当安装工序中有恒温、恒湿、防震、防尘或防辐射等要求时，应在安装地点采取相应的措施后，方可进行相应工序的施工；

  3 利用建筑结构作为起吊搬运设备的承力点时，应对结构的承载力进行核算，并应经设计单位的同意，方可利用；

  4 垫铁的安装应符合本规范附录 A 第 A.1 节的相关规定；

  5 清洗设备及设备附属管路时，应选用合适的清洗剂和清洗工艺。

4.1.2 轴承座、梁的安装应符合下列规定：

  1 安装前应依据设计标高和挂设好的安装基准线（即提升中心线和主轴中心线），确定轴承座的位置；

  2 轴承梁的操平找正应先调整纵向水平，再调整横向水平；

  3 轴承梁水平度相差较大时，应先采用更换平垫铁的方法调整，待水平度相差微小时再利用斜垫铁进行调整；

  4 轴承梁就位操平找正后，应先穿好地脚螺栓进行预紧，待再次操平找正后，紧固地脚螺栓；在紧固地脚螺栓的过程中，应对轴承梁的纵横向中心线位置和水平度进行复测，超出规范要求时应进行调整。

4.1.3 主轴装置安装应符合下列规定：

  1 应依据主轴的定位尺寸，在主轴两端找出中心点（主轴中

心线),再找出两滚筒中心线,并应作出标记;

  2 主轴的中心标高应满足设计要求,水平度应符合验收规范的要求;

  3 主轴找正完成后,应将轴承座的上瓦盖合上,紧固螺栓,检查轴承与瓦盖的间隙应符合验收规范的要求;

  4 制动盘吊运过程中应防止闸盘变形;

  5 制动盘两半轮毂连接时,结合面应对平齐,结合应紧密,结合面之间不得加垫片,连接螺栓应均匀紧固;

  6 滚筒和制动盘的结合面均应清洗洁净,当结合面涂有富锌漆增摩剂时,不得用汽油或煤油清洗,且结合面不得沾染油污;

  7 滚筒摩擦衬垫安装前,应按设计要求检查和处理被连接件的结合面,装配时结合面应清洁、干燥;

  8 滚筒衬垫安装每完成一组,应把衬垫与压块、固定块、筒壳间的连接螺栓紧固;

  9 除增加摩擦系数的专用油外,摩擦衬垫表面不得与其他任何油类物质接触。

4.1.4 减速器安装应符合下列规定:

  1 吊运过程中,运行速度应平稳;

  2 减速器就位后应对其内部检查或清洗,不应有任何污物;

  3 减速器内部加注润滑油的牌号和数量应符合设备技术文件要求的规定,当减速器采用循环润滑油时,其润滑管路的连接应无渗漏现象;

  4 减速器安装应符合本规范附录A第A.6节的规定。

4.1.5 电动机的安装应符合下列规定:

  1 电动机就位前应把联轴器的护罩拆掉,并应将联轴器清洗干净。

  2 电动机安装前,应进行外观检查和抽芯检查,为防止定子和转子摩擦而损坏绝缘,定子和转子间的空隙检查可分上、下、左、右四个点,并应符合下式要求:

$$\frac{各点空气间隙-平均空气间隙}{平均空气间隙} \leqslant 5\% \qquad (4.1.5)$$

3 一般直流电动机的安装应按下列步骤进行：

1) 利用起重机将转子吊装到主轴附近，安装时将行车的钩头对准主轴中心，将转子吊起，主轴端法兰的方向由摩擦轮两侧手拉葫芦控制，当转子平稳准确地落到主轴轴端法兰上时，将连接板的螺栓全部穿上并初步拧紧，并应检查连接板对主轴轴端法兰盖以及转子辐板接触面的间隙，调整后可将全部螺栓拧紧，最后检查转子两侧偏摆情况；

2) 转子与主轴连接后，再利用行车或其他起吊设备将定子吊起，定子按转子进行找正，定子与转子磁力中心线应对准，重合度允许偏差应为±0.2mm；定子与转子的空气间隙应符合公式 4.1.5 的计算结果。

4 低速直联悬挂式直流电动机安装应按下列步骤进行：

1) 用游标卡尺核实主轴轴径和转子孔的尺寸是否在规定的公差范围内。

2) 研磨基础、安放垫铁及安放电机底座。主轴装置安装调整后，才能安装电机转子。电机转子装在主轴上，采用锥面过盈摩擦连接，组装时采用油压装配法。转子装配前应将电机转子的锥孔和主轴的圆锥面部分清洗干净，不应有油污和任何其他杂质微粒及金属毛刺。

3) 主轴装置及电机转子安装完毕后，应安装和调整电机定子。电动机的定子应分为上半定子和下半定子，安装时应先安下半定子，再安上半定子。定子上有起吊孔利用桥式起重机进行起吊安装，上、下定子安装完毕后，接缝处应用定位销及螺钉紧固。调整时，应根据电机随机图纸资料中的规定要求调整转子与定子的间隙。

4) 进行定子、转子安装质量检查：检查电机定子、转子各部分应完好,线圈表面绝缘层无损伤,用兆欧表测量转子绕组绝缘电阻值和绝缘吸收比应符合现行国家标准《电气装置安装工程电气设备交接试验标准》GB 50150 的有关规定。检查电机主极、换向极或补偿绕组固定应牢靠,无松动现象。

4.1.6 联轴器的安装应符合下列规定:

1 联轴器启封应根据密封方式采取适当方法。对包装良好,用机油防锈的联轴器应用煤油擦拭干净;用干油防锈的可用竹木或塑料刮具刮去干油后,用煤油清洗后擦干;用防锈油漆保护的,可用香蕉水、松节油、丙酮类浸泡刷洗,清洁干净后擦干,涂抹一层机油。使用碱性清洗液清洗时,清洗后应用清水冲洗干净,干燥后,再涂抹一层机油。

2 联轴器清洗完毕,应加以检查,并确认无铸造缺陷,外表无制造、运输、存放过程中造成的变形和损伤,加工面应平滑,配合面应符合精度要求,槽孔内无凸起物。

3 齿式联轴器装配时应符合下列要求:

　　1)装配时两轴心径向位移,两轴线倾斜度和端面间距的偏差应符合本规范附录 A 第 A.7 节的规定;

　　2)联轴器的内、外齿的啮合应符合本规范附录 A 第 A.8 节的规定,在油池内工作的,油脂选用应符合相关技术文件的规定,并不得有漏油现象。

4 蛇形弹簧联轴器装配时,两轴中心径向位移、两轴线倾斜和端面间隙的允许偏差应符合本规范附录 A 第 A.7 节的规定。

5 键、定位销装配时,应符合本规范第 A.12 节的规定。

4.1.7 盘形制动器装置的安装应符合下列规定:

1 利用已挂设好的十字中心线,对盘形制动器进行操平找正;

2 盘形制动器找正完成后,应将其地脚螺栓紧固;并应通过调整螺栓,使每对制动器闸瓦两侧的闸瓦间隙、接触面符合现行行业标准《矿井提升机和矿用提升绞车　盘形制动器》JB 8519 的有关规定；

　　3　制动系统液压管路中的空气应排净；

　　4　制动时,闸瓦与制动盘的接触面积不应小于闸瓦总面积的 60％；

　　5　制动手把在制动位置时,电液调压装置的电流应接近于零,残压应低于 0.5MPa；

　　6　当制动手把在全松闸位置时,电液调压装置的电流应等于工作压力对应的电流值,其压力应等于实际使用负荷所确定的工作压力；

　　7　当制动手把在中间位置时,电液调压装置的电流,约为实际使用负荷所确定最大工作压力对应电流值的 1/2,其压力宜为实际使用负荷所确定的工作压力的 1/2；

　　8　电液调压装置的电流变化、自整角机的输出电压变化应随同制动手柄的位置呈线性变化。

4.1.8　液压、润滑系统安装应符合下列规定：

　　1　液压润滑设备应以十字中心线为准,按设计确定标高和安装位置并操平找正；

　　2　液压润滑系统的管道按设计要求进行配置,管道安装、涂漆应符合现行国家标准《机械设备安装工程施工及验收通用规范》GB 50231 的有关规定；

　　3　油泵、阀、油管、油箱等装配后不应漏油；液压站用油应符合设备技术文件的规定。

4.1.9　导向轮与车槽装置的安装应符合下列规定：

　　1　导向轮的安装应符合下列规定：

　　　　1）应根据设计的中心线及标高,将导向轮操平找正；

　　　　2）应紧固导向轮的地脚螺栓。

　　2　车绳槽装置安装应符合下列规定：

　　　　1）提升机在挂绳运转前,应在滚筒衬垫上车出绳槽；

2) 车槽装置应安装在主导轮的下方,车刀头的圆弧应与绳径匹配,刀头的刀面要与主轴的中心线平行;
3) 绳槽车削后,槽底直径应保持一致,各绳轮直径之间的相对误差值应控制在0.5mm之内。新衬垫初次车削时,绳槽深度可取绳直径的1/3,车削时滚筒的线速度应控制在0.3m/s～1.0m/s。

4.1.10 辅助装置安装应符合下列规定:

1 速度控制装置的中心线应与主轴平行,并应保证摩擦轮有良好的接触。

2 深度指示器及轴编码器安装应符合下列规定:
1) 深度指示器的传动轴应保持水平,齿轮啮合良好,各传动部件应灵活、可靠,盘车时应轻松无阻滞现象,指针移动平稳并不应与指示器相碰。提升运转一次的指针工作行程:牌坊式不应小于指示板全行程的3/4,圆盘式旋转角度应在250°～350°之间。
2) 轴编码器应固定牢靠,深度显示应与实际深度一致。

3 其他辅助装置安装应安全可靠,并应符合产品技术文件的规定。

4.1.11 调试及试运转应符合下列规定:

1 调试前应对提升机机械及控制系统进行全面检查和调整。

2 设备安装单位技术人员应按有关规范和设备技术文件编制调试大纲,并应批准后执行。

3 空负荷试运转前应准备下列工作:
1) 各转动部分的螺栓均应紧固,各转动件中应无杂物;
2) 检查液压制动系统油路,并应连接正确;
3) 液压制动系统应完成部件调试,并应按要求调试好液压站与操作台制动手柄的联动及操作台上与液压制动系统有关的仪表。

4 空负荷试运转应符合下列要求:

1）正、反方向连续运行时间均不应小于 4h；
　　2）主轴装置、电动机运行应平稳,无异常响声和周期性冲击；
　　3）检查轴承温升、最高温度应符合本规范第 3.0.12 条的规定；
　　4）整机的全部保护环节和联锁保护均应正确无误；
　　5）测速传动装置、脉冲发送装置应运行平稳,信号正确；
　　6）天轮应运行平稳,无异常响声,轴承和游动轮的轴瓦润滑应良好,转动灵活。
　5　负荷试运转应符合下列要求：
　　1）各部件应运行良好,各项要求均应达到合格要求,并且各保护环节均应可靠；
　　2）各承力部件及重要部件应无残余变形,无其他非正常情况。

4.2　缠绕式提升机及矿用提升绞车安装

4.2.1　缠绕式提升机及矿用提升绞车安装与多绳摩擦式提升机安装项目相同时,可按本规范第 4.1 节的规定执行。

4.2.2　瓦块式制动系统安装应符合下列要求：
　1　系统油压或气压在额定压力下,10min 内的压力降不应大于 0.02MPa,油压或气压高于额定压力 0.1MPa 时,保护系统的安全阀应及时起作用；
　2　工作制动和安全制动手把应灵活、可靠；
　3　制动时,卷筒上的两副制动器应同时起作用,闸瓦与制动轮接触应良好、平稳,各闸瓦与制动轮接触面积不得小于闸瓦总面积的 80%；
　4　闸瓦的安全制动空动时间不应超过 0.3s；
　5　调压器、信号和警笛装置动作应正确、可靠；
　6　蓄压器油压的波动幅度不应大于 0.05MPa。

4.2.3 调试及试运转应符合下列规定：

1 调试要求应符合本规范第 4.1.11 条第 1 款、第 2 款的规定。

2 制动力矩应符合下列要求：

1）竖井、斜井缠绕式提升机的制动力矩应符合表 4.2.3-1 的规定；

表 4.2.3-1 竖井、斜井缠绕式提升机的制动力矩

倾角(°)	5~15	20	25	30~90
制动力矩最小倍数	≥1.8	≥2.0	≥2.6	≥3.0

注：表内未列的角度可按比例计算，坡度变化的巷道按最大坡度确定。

2）双卷筒提升机调绳或更换水平时，制动盘或制动轮上的制动力矩不应小于容器和钢丝绳重量之和的最大静力矩的 1.2 倍。

3 调绳装置应符合下列要求：

1）采用预置复位的调绳离合器，各弹簧的受力应均匀；

2）联锁装置应灵活、可靠；

3）调绳离合器在不同位置上的动作均应灵活；

4）离合器的三个气缸或油缸动作应一致，且无泄漏现象；

5）调绳离合器应能全部脱开和合上，其齿轮副的啮合状况应良好。

4 空负荷试运转前应做好下列工作：

1）卷筒、制动系统、操作系统和导向轮装置等各润滑点，均应按设备技术文件规定的牌号和数量加注润滑剂；

2）应脱开深度指示器的传动装置与主轴连接的部分；

3）应再次紧固地脚螺栓和连接螺栓。

5 空负荷试运转应符合下列规定：

1）安全制动时，杠杆和闸瓦不应有明显的跳动现象；

2）杠杆返回式块式制动器在全松开至安全制动时，制动手

把的移动距离不应大于全行程的 3/4；

3) 空气制动传动装置为二级制动，第一级制动压力应为 0.2MPa～0.25MPa，第二级制动压力应为额定工作压力；

4) 安全阀的动作应及时、准确，制动器的动作应灵敏、可靠；

5) 减速器和主轴装置应运转平稳，密封处无漏油现象。

6 负荷试运转时应校正过卷、减速开关和限速和超速等保护装置的位置及作用点；试验时，各种保护装置动作应灵活、可靠、正确。

7 负荷试运转时制动器安全制动减速度应符合下列要求：

1) 在竖井和倾角大于 30°的斜井中，下放重物时，减速度不应小于 1.5m/s²；

2) 在竖井和斜井中，提升重物时，减速度应符合表 4.2.3-2 的规定；

表 4.2.3-2 提升重物安全制动的减速度表

倾角(°)	5～15	20	25	30～90
减速度(m/s²)	≤3.0	≤3.4	≤4.0	≤5.0

注：表内未列的角度可按比例计算，坡度变化的巷道按最大的坡度计算。

3) 应在井筒中部做短行程的超速保护试验，当速度大于限制速度的 15％时，过速保护装置应可靠动作；

4) 提升系统应在空容器下，按速度图连续运转 8h，但对于带平衡锤的提升系统，容器中应加入额定负荷的 50％；

5) 应将负荷加至设计规定最大值的 1/3，按速度图连续运转，时间不应小于 4h；

6) 应将负荷加至设计规定最大值的 2/3，按速度图连续运转，时间不应小于 4h；

7) 满负荷试运转不应小于 24h，每运转约 8h 应停机全面检查一次；

8) 轴承的最高温度、温升应符合本规范第 3.0.12 条的规定。

4.3 立井井筒装备安装

4.3.1 立井井筒装备安装应符合下列基本规定：

1 施工前应了解与井筒装备安装的相关环境信息：井筒涌水量、瓦斯浓度、井壁施工质量、梁窝预留情况、井筒垂直度及实际井径变化技术参数，井下贯通和井筒窝底情况，凿井井架有关技术参数等；利用混凝土井塔、永久钢井架施工井筒时井塔、井架的相关技术资料以及施工地点的气象、交通资料等；

2 在制作吊盘及封口盘时，应保证井筒最小允许通风面积；

3 对未贯通立井(盲井)，施工过程中应保证通风、排水要求；

4 应有可靠的通信、信号装置；

5 水泵的排水性能应满足井筒装备期间的施工要求；

6 冬季施工时，应有防止井筒结冰的措施；井筒内结冰时，严禁施工；

7 安装井筒装备期间，应与矿井通风管理部门密切配合，实时测量回风井中特别是井底、马头门的瓦斯等有害气体浓度，并应装设瓦斯报警装置；

8 用于井筒装备的材料、设备，应分类摆放整齐，编号正确。

4.3.2 井筒装备施工设备与设施的布置原则应符合下列规定：

1 井筒装备所需临时设备、设施的布置，应避开矿井永久设备、设施的位置。

2 天轮平台、封口盘、吊盘的主要结构梁及其他悬吊设施应进行强度验算。

3 交叉作业时，应有可靠的隔离或封闭措施。

4 施工组织设计应包括井筒平面布置图、稳绞平面布置图、稳绞立面布置图、天轮平台布置图、封口盘结构图、吊盘结构图、供电系统图、施工进度图。

5　施工期间,应编制临时改绞、设备下放、管路安装、电缆安装专项安全技术措施。

　　6　凿井绞车控制宜采用变频电控集中控制。

　　7　天轮平台的高度应满足绞车防过卷距离的要求。

　　8　临时锁口和临时封口盘上不得有杂物,孔洞应封堵,封口盘梁与滑架间隙不应小于350mm;井盖门两端应加设活动防护栏。

　　9　井盖门应设置开启限位开关,有条件的应设置井盖门自动开启装置。

　　10　吊盘层间距应与井筒装备标准段层间距基本一致,层间应增设钢丝绳柔性连接作为保护。

　　11　吊盘边缘与井壁之间的最大距离不应大于150mm,方吊盘沿罐道上行时与罐道梁之间间隙不应小于100mm;吊盘上的孔洞应安设活动盖板或活动栅栏,方吊盘四周应加装防护栏杆。

　　12　测量基准线的位置,不应影响打眼、安装锚杆、托架和罐道,测量基准线应使用直径不大于2mm的高强度钢丝。

　　13　井筒装备期间用电设备应可靠接地,井筒动力入井电源应采用中性点不接地电源;井筒和室外的电气设备应有防水设施,井筒装备期间的供电应符合现行行业标准《煤矿建设安全规范》AQ 1083的规定,吊盘上应有满足施工的照明。

　　14　井筒中施工时,氧气瓶与乙炔瓶应分开放置并固定牢靠,应远离火源。

4.3.3　标准段施工应符合下列规定:

　　1　应安装井口第一层罐道梁作为基准梁,并应设置测量基准线。基准梁的标高应依据井口设计标高复测定位。

　　2　标准段各层的托架和梁标高,应用比长钢尺标定,利用测量基准线、钢尺、水连通管和线坠定位。

　　3　用凿岩机打锚杆孔时,钎杆应水平,并应垂直于井壁,钎杆上设置限位装置控制打眼深度,孔深允许误差应为±10mm。

4 安装锚杆时,外露长度保持一致。锚固剂应搅拌均匀,锚杆拉力试验每层不少于 3 根,锚固力应符合设计要求;无设计时,锚固力不得小于 50kN。

5 安装托架时,用于找正托架的垫铁和方垫板应与托架焊接牢固,焊缝应作防腐处理,托架与井壁之间的空隙应充填密实。

6 梁与托架的焊接处应进行二次防腐。

7 安装罐道时,应根据测量基准线进行找正,安装质量应符合现行国家标准《煤矿设备安装工程质量验收规范》GB 50946 的有关规定。

8 每一层构件安装完毕,应认真清理所有杂物。

9 升降吊盘后,应通知绞车司机吊盘所在位置,吊桶穿越吊盘时应减速,最大速度不应超过 0.5m/s。

10 升降吊盘后,应适当调整吊盘绳使吊盘保持水平,并应稳固在井壁上。

4.3.4 非标准段施工应符合下列规定:

1 井筒梁窝如未预留需开凿时,应以风镐开凿为主,采用爆破方式时,应编制专项安全技术措施并施工;

2 下井口安装基准标高点应与马头门底板标高一致;

3 安装防撞梁、尾绳梁、楔形罐道,应充分利用吊盘结构与各层梁的平面关系,确定各梁的就位和固定方式;

4 在井底拆除吊盘时,应有专项安全技术措施。

4.3.5 井筒管路安装除应符合本规范第 11 章的规定外,还应符合下列规定:

1 管道托梁的主梁应与井筒装备标准段同步施工,副梁在管道安装时施工;

2 管道用凿井绞车下放时,井口卡管梁应安装牢固,管道下方应加装导向装置;

3 下放管路用的临时抱箍应经常检查;

4 在井下焊接套管时,应采取相应的防淋水措施,焊接处应进行二次防腐。

4.3.6 井筒电缆敷设应符合下列规定：

1 电缆应做交接电气绝缘试验，合格后方可敷设；

2 利用凿井绞车下放电缆时，应采用不旋转钢丝绳，可在不旋转钢丝绳下端加接辅助细钢丝绳，专人跟踪观察电缆下放，电缆下端应加装导向装置；

3 跟踪观察人员应与地面保持良好的通信，且有备用通信；

4 当电缆经管子道向井下变电所或大巷拖运时，应避免电缆产生硬弯和扭结；

5 卡固电缆时，压力要适中，不得损坏电缆护套；

6 上井口预留的电缆应采取保护措施；

7 电缆敷设弯曲半径应符合现行国家标准《电气装置安装工程电缆线路施工及验收规范》GB 50168 的有关规定；

8 利用吊盘或罐笼安装电缆时，电缆滚筒应放置牢固，并应有防电缆溜跑措施。

4.4 钢结构井架安装

4.4.1 钢结构井架安装应符合下列基本规定：

1 施工前，应详细勘察现场环境，对安装现场架空线、建筑物、相关地下设施等影响井架竖立的因素，应充分了解并制定相应措施。

2 利用吊车作为抱杆抬头、主斜架抬头、立架起吊时，要认真校核吊车的起吊能力，应与吊车司机事先共同察看起吊现场，明确工作半径和起吊高度等情况，并应编写施工组织设计。

3 地锚施工应符合下列规定：

1) 按地锚布置图埋设地锚，并应有施工记录；

2) 主锚绳在主锚件上缠绕不得扭结，地锚出绳与水平面夹角宜为 30°～40°；

3) 利用已有建筑物、结构物系结绷绳、锚绳时，应验算建筑

物、结构物的强度,并应提交设计单位审核;
  4) 在地锚埋设后,锚绳应进行预拉紧;
  5) 大型井架的主牵引和主提升地锚宜选用混凝土地锚。
 4 凿井绞车使用应符合下列规定:
  1) 凿井绞车布置应调正方向;
  2) 凿井绞车的工作闸、安全闸、联轴器螺栓应安全可靠;
  3) 凿井绞车钢丝绳层间应加垫2mm~3mm铁皮;
  4) 大型井架起吊时应计算凿井绞车的容绳量。
 5 起吊机具的检查应符合下列规定:
  1) 依据钢丝绳直径选用钢丝绳卡,绳卡数量和间距应符合现行国家标准《煤矿井巷工程施工规范》GB 50511的规定,拧紧力矩应满足安全使用要求,并应做好标记;
  2) 桅杆上连接螺栓的紧固情况、桅杆头上的机具吊挂情况应在起吊前进行详细检查;
  3) 应对导向滑车、卸扣等进行检查,并应认真观察运行中有无异常响声、发热现象;铰链销轴使用前应做无损探伤试验,合格方可使用。
 6 主牵滑车组应有防止拧劲旋转措施。
 7 桅杆底座下的土层应夯实,并应加垫方木和钢板。
 8 竖立桅杆前,应检查桅杆直线度,螺栓应拧紧,接口应严密,竖立后再紧一次桅杆螺栓,并应设置避雷接地。
 9 缆风绳仰角不宜大于40°。
 10 用小桅杆竖立大桅杆时,当大桅杆竖立到60°左右时停止起吊,此时要收紧小桅杆主牵引绳,让小桅杆主牵引绳与主提升绳对称受力,将大桅杆竖立垂直。
 11 在井筒冻结期间竖立桅杆时,应对冻结沟槽采取保护措施。
 12 井架竖立指挥与通信应符合下列规定:
  1) 总指挥与各凿井绞车操作人员,地锚、绊腿、铰链监护人

员之间应有良好的通信,并应确保畅通;

2）总指挥对各点的指令发布及执行情况应有问有答,语言应简练明确;各点作业人员应及时准确汇报;

3）桅杆竖立、井架竖立、放倒桅杆等主要工序都应有指挥提纲;

4）作业点人员应按规定佩戴和使用电话和对讲机,通信故障时则停止吊装作业。

13 雨雪天气及 6 级以上大风时,人员不得高空作业并停止起吊。

4.4.2 钢井架加工制作应符合下列要求:

1 用于斜架、天轮平台等重要部位的钢材,应进行抽样复验,其复验结果应符合现行国家产品标准和设计要求。

2 焊缝的坡口可采用刨边或数控切割机加工。坡口边缘的毛刺、熔渣等应清除干净。

3 焊条、焊剂的采用应符合设计要求。

4 应编制焊接工艺卡,对于箱形井架应采用对称焊等工艺;焊条的处理应符合焊接工艺的要求。

5 箱形构件拼装应符合下列规定:

1）箱体应预留焊接收缩量;

2）组对后应检测箱体的相关几何尺寸;

3）箱体外部主要焊缝应采用埋弧自动焊;

4）应按设计要求,对焊缝进行无损检测;

5）在箱体内部施焊时,应有可靠的通风和排烟措施,确保人员安全。

6 主要焊缝实行留名制,焊接、打磨人员应按规定佩戴防护镜。

4.4.3 井架现场组装应符合下列要求:

1 组装时应以井筒十字线为测量基准点,需组装后平移的井架,应设置临时中心线;

2 组装用各支撑点不应有不均匀沉降；

3 用吊车吊装构件时，钢丝绳与构件尖锐角接触处应包护绳皮；

4 人员在箱体上行走和作业时，应穿软底防滑鞋；

5 高处作业用跳板应绑扎牢固，保险带应生根可靠，并应做到上挂下用；

6 设计吊点位置时，应满足索具及滑车的拆除条件，并应根据现场条件编写专项施工措施；

7 井架组装过程中，应设置作业人员上下井架的临时爬梯及护栏；

8 应对井架各部受力情况进行验算，在可能产生局部变形的部位，应采取补强措施；

9 组对主斜架与副斜架之间横梁时，应注意横梁的安装方向，影响立架安装的横梁可暂不安装；

10 应对焊缝进行防腐处理；

11 铰链预埋件应在井架基础施工时同时预埋，固定铰链板与预埋件应连接牢固；

12 斜腿上的两个铰链销轴应同轴，同心度和倾斜度不应大于5mm，铰链销轴直径与孔径之差不得大于5mm，同组固定铰链板与活动铰链板间隙之和不应大于10mm；为防止井架产生局部变形，活动铰链板与井架连接处应加筋板。

4.4.4 主斜架竖立应符合下列规定：

1 主斜架竖立前，应逐根检查滑车组钢丝绳穿绳情况；

2 主斜架起吊前应调整桅杆垂直度；

3 主斜架头部抬起，井架离开支撑点200mm左右，应停止起吊，检查各受力部位、桅杆稳定性、主斜架挠度，应防止滑车组扭转；

4 竖立过程中，铰链的监护人员应观察铰链的受力情况并及时汇报；

5 竖立过程中,主斜架45°以前不宜调整主提升绳连接绳卡的位置;

　　6 采用桅杆起立主斜架接近设计位置时,应观察主提升绳与主斜架的夹角不宜大于90°,否则宜采取仰杆法竖立主斜架;

　　7 主斜架起吊到设计位置时,应用保险绳锁住提升绳,每个卡点不应少于7副绳卡;

　　8 主斜架竖立后,主斜架与基础之间应用垫铁临时垫牢。

4.4.5 副斜架竖立应符合下列规定:

　　1 提升副斜架时,应能使副斜架顺利向主斜架方向移动,宜辅以吊车提起副斜架腿部向前平移,或利用凿井绞车向前拖移;

　　2 副斜架底腿部应加焊滑靴或在地面铺设滑轨;

　　3 副斜架在跨越斜腿基础时,应用吊车抬吊或凿井绞车后留,使副斜架稳妥就位;

　　4 竖立副斜架过程中不应使主斜腿的地脚螺栓受力;

　　5 副斜架竖立时,应始终监控主牵绳地锚受力情况;

　　6 用翻转法起吊副斜架时,副斜腿铰链销轴的位置应符合施工组织设计要求,并应设置留绳控制副斜架稳妥就位;

　　7 起吊过程中应保持副斜架两组滑车受力均衡。

4.4.6 主、副斜架空中对接找正应符合下列规定:

　　1 井架合拢时,井架上应有专人与地面通信联系;

　　2 找正应以主斜架为主,综合考虑主、副斜架的加工误差、现场组装误差,并应用凿井绞车适当调整主、副斜架的角度;

　　3 找正时,应用经纬仪在两个方向观测;

　　4 找正后,应按基础斜面配置合适的垫铁,垫铁的安装应符合本规范附录A第A.1节的规定,地脚螺栓的安装应符合本规范附录A第A.2节的规定,外露部分应加保护套管。

4.4.7 立架吊装应符合下列规定:

　　1 立架上的吊装受力梁应能承受立架起吊最大受力,否则应进行强度加固;立架下部也应有防止吊装受力变形的加固措施;

2 吊装立架时，应对斜架进行倾斜测量；

3 立架就位后，应操平找正，紧固固定螺栓。

4.4.8 采用汽车起重机安装井架时应符合下列规定：

1 两台汽车起重机抬吊时，宜采用对称布置的方式，并应保持同步；

2 多台汽车起重机同时作业时，应有统一指挥，各汽车起重机受力大小、方向、起升和下降速度应统筹考虑，不得大于汽车起重机的允许范围；

3 主斜架采用吊车抬头，起立到50°时应采用后扳绳继续起立，直到主斜架起到设计位置。

4.5 井底装载硐室设备安装

4.5.1 井底装载硐室设备安装前，硐室矿建工程应全部结束，硐室空间几何尺寸应符合设计要求，各处应无漏、渗水现象。

4.5.2 装载硐室设备安装前，应进行下列检查和清理工作：

1 定量斗操纵液（气）动装置应在下井前清洗检查，液（气）压缸等外露滑动部位应涂上防锈脂；

2 应校核定量斗箱体几何尺寸，发现变形予以矫正；

3 液压站在下井前，应在地面将油箱内清理干净，各控制阀件动作应灵活可靠，管路洁净畅通。

4.5.3 装载硐室设备的安装应符合下列规定：

1 设备的安装定位应以井筒装备施工时用的井筒中心线和井口标高为基准；

2 组装定量斗时，几何尺寸应准确，接口应严密，螺栓齐全，连接牢固；

3 装载硐室平台承载钢梁与平台板或设备连接螺栓紧固应符合本规范附录A第A.2节的规定；

4 井壁预留梁窝在封堵前，应将梁窝内杂物清理干净，钢梁下应用钢结构和垫铁垫平、垫实；

5 钢梁实际埋入梁窝深度不应小于设计值 70mm,堵梁窝的混凝土标号不得低于井壁混凝土标号;

6 给煤机操平找正后,紧固地脚螺栓,其垫铁、基础灌浆应执行本规范附录 A 中相关规定;

7 空气炮的安装应满足产品技术文件和设计的要求,并应执行特种设备安装的相关规定。

4.5.4 试运转应符合下列规定:

1 试运转前,先将箕斗下放到正常装载位置,检查定量斗距箕斗的距离应符合设计要求;

2 应开启液压站,检查管路,调整油压;液压站运行应平稳;

3 卸载闸门应启闭灵活;定量斗向箕斗装煤时,应无撒煤情况;

4 定量装置计量应准确;

5 给煤机运行应平稳,轴承温度和温升应符合本规范第 3.0.12 条的规定;

6 空气炮动作应可靠,动作时炮身平稳,应无煤尘外扬。

4.6 井口受煤坑及卸载曲轨安装

4.6.1 井口受煤坑及卸载曲轨安装应以井筒装备施工用的十字线和井口标高为基准,设置设备安装中心线及标高点。

4.6.2 设备安装应符合下列规定:

1 悬吊在受煤坑下方的给料机应安装牢固,给料机的出料口中心线应与下方受煤皮带机中心线一致;

2 吊装给料机就位时,受煤坑上方起吊点应牢固可靠;

3 基础的地脚螺栓应符合本规范附录 A 第 A.2 节的相关规定;

4 基础灌浆应符合本规范附录 A 第 A.3 节的相关规定;

5 卸载曲轨位置允许偏差应为±5mm;

6 卸载曲轨工作油缸的输油管道沿金属支持结构梁敷设,固定牢固并不得妨碍箕斗运行；

7 液（气）动装置动作应灵活、无卡阻现象。

4.6.3 设备试运转应符合下列规定：

1 设备运转前，应对各部分螺栓紧固情况、灌浆强度情况、各操纵油缸的运动情况，以及设备上的各种检测仪器仪表进行全面检查；

2 开启受煤坑下的给料机，给料闸门开启应灵活、关闭应严密；

3 液压站应按规定标号和数量加注液压油；起动并调整液压站油压应满足设计要求；

4 应起动提升机，使箕斗在卸载位置上下运动，调整箕斗卸载运行位置；

5 箕斗卸载时，应无撒煤现象；

6 应先空载后逐步加载至额定负载，在设备试运行中观察各部声响、振动及温升，并应做好记录。

4.7 井底撒煤清理设备安装

4.7.1 井底撒煤清理设备安装前应进行下列检查和清理：

1 应检查设备变形及防腐层脱落等情况，并应进行清洗、加油；

2 应清理基础表面并对基础表面进行凿麻面处理，并应根据设备底盘及地脚螺栓布置情况进行垫铁布置，清理螺栓孔内积水及杂物；

3 校核井底溜煤口下的预留螺栓与所安装的闸门上方的法兰口的螺栓孔应相符。

4.7.2 井底受煤口下卸载闸门安装应符合下列规定：

1 卸载闸门安装，应以井筒装备施工用的十字线和井底马头门标高为基准，设置设备安装中心线及标高点；

2 应先安装井底受煤口的卸载闸门，安装好后应使其处于关闭状态；

　　3 应清理井底受煤口下方预留螺栓上的混凝土等杂物，并应找平与卸载闸门法兰相接触部位平面；

　　4 在受煤口上方适当位置设置起吊点，应根据设备重量选择起吊机具，将卸料闸门吊起并安装；

　　5 基础垫铁安装应符合本规范附录A第A.1节的规定；

　　6 螺栓紧固应符合本规范附录A第A.2节的规定；

　　7 基础灌浆应符合本规范附录A第A.3节的规定。

4.7.3 井底清理用刮板运输机的安装应符合本规范第5.2节的规定。

4.8 井上、下操车设备安装

4.8.1 井上、下操车设备安装应符合下列基本规定：

　　1 操车设备下井安装前在地面应清洗、加油并对各滑动部位涂抹防锈剂；

　　2 应以井筒装备施工用的十字线为基准线，以井口标高及井下马头门标高为标高点，确定出各台设备安装的"十"字中心线及标高；

　　3 封堵梁窝的混凝土标号不应低于井壁混凝土标号。

4.8.2 罐座的安装应符合下列规定：

　　1 应操平找正罐座梁，并应固定牢固；

　　2 罐座与罐座梁应连接牢靠，支承爪应动作协调一致。

4.8.3 摇台安装应符合下列规定：

　　1 摇台支撑梁安装：将摇台梁放入梁窝，根据给出的测量基准线和标高找正，梁窝内钢梁下可用垫铁进行操平找正，所用垫铁宽度应大于梁面宽度，钢梁埋入梁窝深度不得小于设计值70mm；

　　2 待堵梁窝的混凝土强度达到设计值的75%时，应拆除堵梁窝板，检查堵梁窝质量，梁窝表面不得有蜂窝麻面、孔洞；

　　3 摇台梁的水平度不得大于1/1000；

4 摇台与摇台梁固定应牢固可靠,连接螺栓应符合本规范附录 A 第 A.2 节的规定;

5 摇台与外接轨道接头应平滑过渡;

6 液(气)压管道应沿地沟隐蔽敷设,外露敷设应整齐美观、固定牢固,液(气)压管路安装应符合现行国家标准《工业金属管道工程施工规范》GB 50235 的有关规定。

4.8.4 上、下井口平台安装应符合下列规定:

1 应校核平台各支撑梁梁窝位置偏差,清理梁窝内的杂物积水;

2 对各支撑梁操平找正,钢梁埋入梁窝的深度不得小于设计值 70mm,梁窝表面不得有蜂窝及孔洞;

3 平台板铺设应平稳,平台爬梯与平台连接应牢固;

4 上、下井口进出车侧的活动平台应开启灵活,无卡阻现象。

4.8.5 井上、下安全门安装应符合下列规定:

1 安全门加工应符合设计要求;

2 安全门支架连接应牢固可靠;

3 磁性接近开关与永磁铁之间的相对距离,应符合技术文件的要求;

4 滑轮转动应灵活,开、关门运行应正常、无跳动;

5 滑轮与导轨接触应严密,门爪与锁扣应能正常启闭;

6 限位装置安装位置应正确,牢固可靠,启闭平稳;

7 液压工作油缸或液压马达应运行正常,牵引链条应松紧适中,操作机构应灵活可靠;

8 安全门与提升容器的联动、闭锁动作应准确、可靠。

4.8.6 阻车器安装应符合下列规定:

1 应根据阻车器设计标高对基础表面进行凿麻面找平;

2 地脚螺栓孔应清理干净,不得有油污;

3 应根据设备底盘结构、载荷分布、地脚螺栓位置布置垫铁,垫铁选用和布置应符合本规范附录 A 第 A.1 节的规定;

  4 阻车器在安装前应清洗,各转动部位应加润滑剂;

  5 阻车器安装坡度应符合设计要求,阻车器导轨与轨道接头应平滑;

  6 阻车器两车挡(阻爪)动作应灵活、协调一致。

4.8.7 推车机安装应符合下列规定:

  1 应清理基础螺栓孔内积水、杂物等;

  2 链式推车机的链条应松紧适中;

  3 液(气)压推车机管道安装前应吹扫干净,并应沿地沟敷设;

  4 推车机的轨道接头应平滑,推车在轨道上应运行平稳无卡阻;

  5 电动式推车机的联轴器装配应符合本规范附录A第A.7节的规定;

  6 垫铁安装应符合本规范附录A第A.1节的规定;

  7 螺栓紧固应符合本规范附录A第A.2节的规定;

  8 基础灌浆应符合本规范附录A第A.3节的规定;

  9 推爪动作应灵活可靠,推车时推爪不得有颤动现象;

  10 制动器工作时,应迅速、准确、可靠;

  11 操作机构及限位开关应灵活、准确、可靠。

4.9 提升设施安装

4.9.1 提升设施的安装应符合下列基本规定:

  1 提升容器在井口水平存放时,应摆放平稳;

  2 施工前应确定井下口临时固定提升容器的位置和方式;

  3 选用临时天轮平台下放提升容器时,应校核天轮平台强度;

  4 利用永久多绳天轮和凿井绞车下放提升容器,使用导向轮时导向轮强度应符合施工要求;

  5 在立架安装之前下放提升容器时,容器下至井底后应对地面的永久提升绳采取保护措施；

　　6 采用凿井绞车下放尾绳时，应校核凿井绞车的容绳量及提升能力。

4.9.2 提升容器及平衡锤安装应符合下列规定：

　　1 在井口组装大型箕斗时，下半个箕斗应有合适的起吊吊耳，并应在井口适当位置稳定牢固；起吊上半个箕斗时，应注意不能碰撞下半个箕斗；

　　2 上下两半箕斗对接时，应符合设备技术文件要求；

　　3 提升容器下放时，应检查凿井绞车、天轮平台等受力情况及出绳偏角；

　　4 应安排人员随容器下井，观察容器下放情况；

　　5 下井人员应与地面保持良好的通信，且有备用通信；

　　6 作业人员下井观察时应密切注意钢丝绳受力情况，悬挂装置应保持平衡；

　　7 平衡锤的配重量应根据设计和生产矿井的要求，分步加装。

4.9.3 提升机首绳及悬挂装置安装应符合下列规定：

　　1 在井口锁绳时，锁绳梁应放在稳固的支撑梁上，锁绳梁和支撑梁应经过强度校核，各梁之间应连接牢固；

　　2 锁绳器楔块直径应与提升绳配套；

　　3 使用凿井绞车下放首绳到井底后，在井口锁住首绳，倒出凿井绞车上剩余钢丝绳，应做好成品保护；

　　4 首绳与上井口提升容器联接时，应张紧首绳；

　　5 首绳应分左右捻向，对称布置；

　　6 首绳在滚筒上的绳槽应与设备出厂的分绳器相匹配；

　　7 首绳的悬挂装置初次打压宜以油缸最大行程；

　　8 安装悬挂装置时，其轴上开口销应可靠闭锁，油缸上的油孔位置应布置在同一侧。

4.9.4 天轮安装应符合下列规定：

1 用井架上的梁吊装天轮时,应核算起吊梁的强度;

　　2 利用大吨位吊车直接吊装天轮时,吊车的吊装能力应满足要求;

　　3 操平找正天轮,其位置与提升十字中心线的偏差、天轮轴的水平度应符合验收规范的要求;

　　4 紧固天轮,轴承座的楔铁应接触紧密,固定牢靠。

4.9.5 尾绳及悬挂装置安装应符合下列规定:

　　1 由井下向上提尾绳时,施工前应对提升机静张力差进行校验;

　　2 采用凿井绞车从上向下放尾绳时,应根据尾绳到货长度,确定摆放凿井绞车位置,凿井绞车上最后应保留不少于3圈钢丝绳;

　　3 扁尾绳在井筒中运行应有临时导向滑架;

　　4 下放尾绳时应沿梯子间跟人下井观察,携带通信工具,跟踪查看尾绳运行情况;

　　5 当扁尾绳在下井口穿越尾绳挡梁时,应注意尾绳不得扭结;

　　6 从下向上带尾绳时,下井口的绳滚应支护牢固,人员不应站立在绳滚前面;

　　7 圆尾绳浇注巴氏合金连接装置时,应根据井筒尾绳环标高确定尾绳长度并截绳做头;

　　8 由井下向上提尾绳时,绞车运行速度宜控制在0.5m/s以内;

　　9 尾绳弧底标高应严格控制,并应符合设计要求,主提升绳伸长后应及时调整。

4.10 提升系统试运转

4.10.1 试运转前应做好下列工作:

　　1 编制"试运转"专项安全技术措施;

2 各单机试运转合格；

3 对井筒装备几何尺寸、安全间隙等相关技术数据进行检查，并符合设计要求及现行行业标准《煤矿建设安全规范》AQ 1083 的有关规定。

4.10.2 试运转应符合下列规定：

1 系统试运转期间，应有可靠的通信；

2 提升绳的张力应调整一致，悬挂装置的油缸预收缩量宜为总行程的 1/2～1/3 之间；

3 系统试运转时，应采取分步提速分步加载方案。

5 矿井运输系统设备安装工程

5.1 胶带输送机安装

5.1.1 本节适用于普通胶带输送机、钢丝绳芯胶带输送机的安装。

5.1.2 胶带输送机安装应符合下列规定：

  1 应根据设计标定胶带输送机纵向中心线，机头、机尾十字中心线及标高。

  2 基础垫铁安装应符合本规范附录 A 第 A.1 节的规定。

  3 螺栓连接应符合本规范附录 A 第 A.2 节的规定。

  4 减速器安装、联轴器装配应符合本规范附录 A 第 A.6 节、第 A.7 节的规定。

  5 传动滚筒、改向滚筒的安装应符合下列规定：

    1）宽度中心线与胶带输送机纵向中心线重合度不应大于 2mm；

    2）轴心线与胶带输送机纵向中心线的垂直度不应大于滚筒宽度的 2/1000；

    3）轴的水平度不应大于 0.3/1000。

  6 中间架安装应符合下列规定：

    1）中间架支腿垂直度应小于 3/1000；

    2）中间架中心线允许偏差应为 ±3mm；

    3）间距允许偏差应为 ±1.5mm。

  7 胶带展放应符合下列规定：

    1）应根据胶带带面长度及胶带安装斜度，计算选择展放胶带机具；

    2）展放胶带时，应根据牵引方向调整带面侧偏。

8 胶带接头应符合下列规定：
  1）机械接头的皮带扣应连接牢固，抗拉强度不得小于原胶带的80%；
  2）冷粘接头前，应制定冷粘工艺，冷粘接头的抗拉强度不得小于原胶带的85%；
  3）热硫化接头应根据设计及胶带技术要求，确定胶带硫化方案；
  4）胶带硫化前应进行胶带硫化抗拉强度试验，经检验合格后方可实施；
  5）热硫化接头的强度不得小于原胶带的85%。
9 托辊应转动灵活。
10 清扫装置中刮板与胶带接触长度不应小于清扫面长度的85%。
11 拉紧装置工作可靠，调整行程不应小于全行程的1/2。
12 保护装置、制动装置和逆止装置应灵活可靠。

5.1.3 胶带输送机试运转应符合下列规定：

1 试运转前期应做好下列工作：
  1）检查保护装置、制动装置和逆止装置应灵活、可靠；
  2）各部位连接螺栓应牢固、齐全；
  3）应检查各润滑部位的注油情况；
  4）检查上下带面应无杂物。

2 空负荷试运转应符合下列规定：
  1）应调整皮带，张紧适中，运行时皮带与滚筒不打滑；
  2）轴承温度和温升应符合本规范第3.0.12条的规定；
  3）空负荷试运转时间不应小于连续4h。

3 负荷试运转应符合下列规定：
  1）整机应运行平稳，应无不转动的托辊；
  2）清扫器清扫效果应良好；
  3）皮带跑偏量不应大于带宽的5%；

4）再次启动时,输送带不得打滑;

　　5）负荷试运转时间不应小于连续 8h。

5.2　固定式刮板输送机安装

5.2.1　固定式刮板输送机安装应符合下列基本规定:

　　1　对设备应进行清洗注油;

　　2　刮板输送机下井前应进行预组装。

5.2.2　刮板输送机的安装应符合下列规定:

　　1　基础螺栓、二次灌浆、减速器及联轴器的安装应符合本规范附录 A 第 A.2 节、第 A.3 节、第 A.7 节、第 A.8 节的规定。

　　2　液力联轴器安装,应符合本规范附录 A 第 A.7.11 条的规定。

　　3　输送机机头中心线与输送机纵向中心线的允许偏差应为 $^{+3.0}_{0}$ mm。

　　4　中部槽的组装应按顺序依次组装,机槽应接合密实。

　　5　驱动装置和拉紧链轮安装应符合下列规定:

　　　　1）链轮的中心线对固定式刮板输送机纵向中心线不重合度不应大于 2mm;

　　　　2）两链轮中心线应平行,对固定式刮板输送机纵向中心线的垂直度不应大于 1/1000。

　　6　刮板链条运行方向指示箭头应与头部头轮旋转方向的指示箭头一致,无拧链、缠绕。

　　7　平板闸门应符合设计要求,开闭灵活,闸门关闭后与机体侧面结合处不应漏煤。

　　8　应组装尾部张紧装置,张紧装置的行程、偏差应符合设备技术文件的要求。

　　9　刮板、托轮运转应无卡阻。

5.2.3　刮板输送机的试运转应符合下列规定:

　　1　试运转前应做好下列工作:

1)各连接螺栓应紧固；
　　2)各润滑系统油量应充足；
　　3)点动电动机,观察机头、机尾转向应正确；方向一致后启动电动机,应观察有无卡刮及异常响声；
　　4)链条与链轮啮合应正常,无跳链现象；刮板链在接头过渡不得有跳动现象。
　2　空负荷试运转时间不应小于 2h,负荷试运转时间不应小于 4h,并应符合下列要求：
　　1)各连接螺栓应紧固无松动；
　　2)两条刮板链松紧应一致；
　　3)轴承的温度、温升应符合本规范第 3.0.12 条的规定；
　　4)再次紧链,其松紧程度按规定铺设长度满载时,机头处链条宜松弛 2 个链环；
　　5)尾部调节装置调整应灵活；
　　6)各种保护装置应安全可靠。

5.3　转载机安装

5.3.1　转载机安装应符合下列规定：
　1　液力联轴器装配应符合本规范附录 A 第 A.7.11 条的规定；
　2　转载机搭接长度不得小于 500mm,机头最低点与前面运输机机尾最高点的间隙不应小于 300mm；
　3　转载机机尾滚筒应转动灵活,无卡刮；
　4　连接螺栓应牢固、可靠；
　5　链条无拧链,松紧程度应适当。

5.3.2　转载机试运转应符合下列规定：
　1　在额定速度下连续运转不应小于 4h；
　2　转载机运行应平稳,无卡链；
　3　各种保护装置应灵敏、可靠；

  4 轴承温度和温升应符合本规范第3.0.12条的规定。

5.4 斜井人车

5.4.1 斜井人车的安装应符合下列要求：
  1 斜井人车运行轨道安装应达到设计及相关现行规范的要求；
  2 连接装置、保险链及防坠器应安全可靠；
  3 斜井人车井下组装应符合产品技术文件的要求；
  4 绞车钢丝绳应通过钢丝绳套环和轴销与人车连接牢固；
  5 斜井人车运行中紧急停车信号应灵敏、可靠。

5.4.2 试运行应符合下列规定：
  1 制动座与车体之间的滑动应灵活可靠；
  2 制动座不得偏斜；
  3 主拉杆与主弹簧应无折断或其他不良现象，撞铁的螺钉应紧固；
  4 前后主拉杆在导向箱导套内应活动灵活，闭锁装置应可靠；
  5 缓冲木应符合要求，紧固螺钉无松动；
  6 制动器应灵敏、可靠。

5.5 梭式矿车

5.5.1 梭式矿车安装应符合下列要求：
  1 车辆之间的连接应牢固；
  2 梭式矿车车架、储绳轮、车轮等各部连接螺栓应紧固。

5.5.2 尾轮安装应符合下列要求：
  1 尾轮固定：运送较重物品时应采用混凝土基础固定；运送重量不大于10t物品时，可采用锚杆固定。
  2 尾轮应安装在轨道中间，安装后不得阻碍梭车运行。

5.5.3 弯道护轨装置安装应符合产品技术文件的要求，综合保护装置安装后应能达到保护功能的要求。

5.5.4 试运行应符合下列规定：

1 试运行前应符合下列要求：

　1）轨道上应无影响车辆运行的杂物；

　2）制动应正常，手动制闸在松闸位置。

2 应先低速运行，再高速运行；应先轻载运行，再重载运行；运行应平稳无异常声响。

5.6 卡 轨 车

5.6.1 卡轨车的安装应符合下列要求：

1 卡轨车用无极绳绞车安装应符合本规范第13.1节的规定；

2 在运输过程中，应采取措施防止张紧装置框架变形；

3 卡轨车的组装还应符合产品的技术要求；

4 钢丝绳的预紧力宜为30kN～50kN，张紧钢丝绳时，钢丝绳不得偏离绳轮；

5 钢丝绳张紧后，应根据钢丝绳的具体走向调整轮系的位置或方位，使轮系起到较好的导向作用，且转动轻便、灵活。

5.6.2 卡轨车的试运转应符合下列规定：

1 各润滑点和减速机内应加注润滑油；

2 检查运行轨道应无影响试运转的障碍物；

3 检查紧固件应无松动现象；

4 电气系统、制动装置、操作控制工作性能应灵敏、正确、可靠。

5.7 架空乘人装置

5.7.1 架空乘人装置安装应符合下列规定：

1 电动机、联轴器、减速机安装时，其相连接主轴的同轴度不应大于0.5mm；

2 弹性联轴器两轴的同轴度不应大于0.1mm；

3 制动闸瓦与制动轮之间的间隙不应大于2mm，制动状态下最小接触面积不应小于60%；

4 驱动轮、迂回纵横向中心线对设计中心线的偏移不应大于2mm，绳槽中心线应与出入侧牵引索的中心线重合，偏移不应大于牵引索直径的1/20，偏斜不应大于1/1000，驱动轮的水平度和垂直度不应大于0.3/1000；

5 迂回轮两侧导轨的安装中心线直线度不应大于1/1000，平行度不应大于0.5/1000，高度允许偏差应为±3mm；

6 机头机尾横梁标高尺寸允许偏差应为±10mm；

7 托绳轮横梁标高尺寸允许偏差应为±15mm；

8 中间横梁安装的工字钢底面应平行于巷道腰线；

9 横梁水平度不应大于3/1000；

10 驱动机架横梁、机尾导轨架梁、小绞车架梁、重锤吊梁应按设计要求布置与施工；

11 全线中在同侧的托绳轮槽和压绳轮槽的中心线应在同一直线上，其允许偏差应为$^{+2}_{0}$mm；

12 钢丝绳的接头编结长度不应小于钢丝绳直径的1000倍，安全系数不应小于6，编结接头宜为不变径插接接头，接头后的绳径不应大于原直径10%；

13 钢丝绳安装后应空转8h；

14 吊椅的安装应根据运行线路坡度的大小，调整抱索器夹紧力；

15 吊椅与井壁之间的距离和距底板的高度，应符合设计要求；

16 保护装置应齐全，运行时各种保护应灵敏可靠。

5.7.2 试运行应符合下列规定：

1 试运行前，应根据说明书对各个注油点进行注油；

2 空载试运行：上站和下站各安装1个空吊椅，先以慢速直至额定运行速度进行空载试运行,两者运行时间总和不得少于4h,应以设计4倍、2倍和实际吊椅间距布满全线试运行,其运行时间总和不得少于4h;

3 重载试运行,应采用重物模拟人员进行重载试运行,试运行载荷应按设计的1/2、2/3和满载荷分别进行,运行时间均不应小于4h。

5.8 齿 轨 车

5.8.1 齿轨车安装前的检查,除应符合本规定第3.0.6条的规定外,牵引机车的防爆性能应达到防爆要求。

5.8.2 齿轨车安装前,对有清洗要求的零件或部件应进行清洗。清洗时,应对部件中每个零件进行编号。

5.8.3 齿轨车的安装应符合下列规定:

1 齿轨车的组装应符合产品技术文件的要求进行,并应做到紧固件齐全,连接可靠;

2 齿轨固定方式应符合设计要求,且牢固牢靠;齿轨接头间隙应符合设计要求,接头的错边量不应大于1mm;

3 机械传动系统应运行平稳;

4 安全踏板起落应轻便、灵活;

5 液压或气动制动系统应压力稳定;液压系统应不渗油,气动系统应不漏气;

6 制动瓦与制动轮的接触面积,不应小于制动瓦面积的70%;

7 电子监控系统的安装,应符合设计及产品技术文件要求;

8 齿轨车进出齿轨时,应轻便、快捷,无卡阻现象。

5.8.4 齿轨车的试运转应符合下列规定:

1 轨道和齿轨应无影响试运转的障碍物;

2 所有紧固件应无松动;

3 系统加速、减速应平稳,其最高速度应符合产品技术文件的要求；

4 制动装置应灵活、可靠,系统制动时应无剧烈冲击,制动距离应符合产品技术文件的要求。

5.9 单轨吊车

5.9.1 单轨吊车安装应符合下列规定：

　　1 测量放线、安装锚索,锚索的规格及安装深度应符合设计要求；

　　2 敷设轨道,轨道的直线度、中心线重合度、接头偏差等均应符合相关验收规范的要求；

　　3 应按随机技术文件的要求组装单轨吊；

　　4 应利用起吊工具将单轨吊安装在轨道上,调整好间隙,紧固所有的紧固件；

　　5 各润滑点和减速器内所加油、脂的牌号和数量应符合设备技术文件的规定；

　　6 应盘动各运动机构,使转动系统的输入、输出轴旋转一周,不应有卡阻现象。

5.9.2 单轨吊车试运转应符合下列规定：

　　1 运行轨道应无影响试运转的障碍物；

　　2 应原地运转 5min,观察仪表,检查各部压力、温度应正常；

　　3 所有滚轮和行走轮在轨道上应接触良好,运行平稳；

　　4 减速器油温和轴承油升均不应超过设备技术文件的规定,润滑和密封应良好；

　　5 安全联锁保护装置和操作及控制系统应灵敏、正确和可靠。

6 通风系统设备安装工程

6.1 一 般 规 定

6.1.1 设备开箱检查验收除应符合本规范第 3.0.6 条外,还应符合下列规定:

  1 应按设备装箱单清点风机的零部件和配套件,并应核对叶轮、机壳和其他部位的主要尺寸;

  2 通风机进口和出口的方向(或角度)应与设计相符,叶轮旋转方向和定子导流叶片的导流方向应符合设备技术文件的规定;

  3 进出风口应有盖板严密遮盖,检查各切削加工面、风机外露部分、机壳和转子应无变形或锈蚀、碰损等。

6.1.2 设备安装前应进行清洗,并应符合下列规定:

  1 设备外露的加工面、配合面、滑动面、各管道、油箱等应进行清洗;

  2 应清洗风机轴承,并应按设备技术文件要求加注润滑剂;

  3 出厂已装配好的组合件不可拆洗。

6.1.3 通风机的运输和吊装应符合下列要求:

  1 整体出厂的通风机搬运和吊装时,绳索不得捆绑在转子和机壳上盖或轴承上盖的吊耳上;

  2 解体出厂的通风机绳索的捆绑不得损伤机件表面,转子和齿轮的轴颈、测振部位均不应作为捆绑部位。

6.1.4 通风机安装应符合下列规定:

  1 应按设定的轴线及标高标定通风机安装基准线;

  2 垫铁的选择和布置应符合本规范附录 A 第 A.1 节的规定;

  3 通风机的水平位置允许偏差应为 $^{+10}_{0}$ mm,高度允许偏差应为±10mm；

  4 联轴器装配应符合本规范附录A第A.7节的规定；

  5 通风机电控设备及附属设施安装，应按设备技术文件要求；

  6 风机传动装置的外露部分、直接通大气的进口，其防护罩（网）在试运转前应安装完毕。

6.2　离心式通风机安装

6.2.1 离心通风机调节机构应清洗洁净，其转动应灵活。

6.2.2 轴承箱安装应符合下列要求：

  1 轴承箱与底座应紧密结合；

  2 整体安装的轴承箱的纵向和横向安装水平度不应大于0.10/1000；

  3 分开式轴承箱的纵向和横向安装水平，以及轴承孔对主轴轴线在水平面的对称度应符合下列要求：

   1） 每个轴承箱中分面的纵向安装水平度不应大于0.04/1000；

   2） 每个轴承箱中分面的横向安装水平度不应大于0.08/1000；

   3） 主轴轴颈处的安装水平度不应大于0.04/1000；

   4） 轴承孔对主轴轴线在水平面内的对称度偏差应为$^{+0.06}_{0}$mm，可测量轴承箱两侧密封径向间隙之差不应大于0.06mm。

6.2.3 滑动轴承装配应符合本规范附录A第A.9节的规定。

6.2.4 机壳进风口或密封圈与叶轮进口圈的轴向插入深度和径向间隙应调整到设备技术文件规定的范围内，同时还应使机壳后侧板轴孔与主轴同轴，并不得刮碰；当设备技术文件无规定时，轴向插入深度应为叶轮外径的10‰；径向间隙应均匀，其间隙差为最大值与最小值的差，与平均值之比不应大于20%。

6.2.5 消声器的安装应先安装机壳,再安装消声片,与小导流锥端对主机方向依次插入机壳,轴向每片间距应均匀,上下连接处不得有错边,连接限位挡板,拧紧螺栓。

6.3 轴流式通风机安装

6.3.1 轴流通风机的检查和清洗除应符合本规范第6.1.2的规定外,还应符合下列规定:

  1 叶片根部应无损伤;叶片的紧固螺母应无松动,可调叶片的安装角度应符合设备技术文件的规定;

  2 立式机组应清洗变速箱、齿轮副或蜗轮副。

6.3.2 整体出厂机组的安装水平和垂直度应在底座和机壳上进行测量,其安装水平度和垂直度不应大于1/1000。

6.3.3 解体出厂的机组组装时应符合下列规定:

  1 水平剖分机组应将主体机壳下部、轴承座和底座等在基础上组装后再调平;

  2 垂直剖分机组组装应符合下列规定:

   1)应将进气室放在基础上,用成对斜垫铁调平后安装轴承座,其轴承座与底座平面应接触均匀;

   2)以进气室密封圈为基体,将主轴装入轴承中,主轴和进气室的同轴度不应大于$\phi 2mm$;

   3)应依次装上叶轮、机壳、静子和扩压器。

6.3.4 水平剖分机组和垂直剖分机组的纵向和横向安装水平度均不应大于0.1/1000,并应分别在主轴和轴承座中分面上进行测量;对左、右分开式轴承座的风机,两轴承孔与主轴颈的同轴度不应大于$\phi 0.1mm$。

6.3.5 立式机组的安装水平度不应大于0.1/1000,且应在轮毂上进行测量;具有减速器的立式机组安装水平度不应大于0.1/1000,且应在减速器加工面上进行测量。

6.3.6 各叶片的安装角度应按设备技术文件的规定进行复查和

校正,其允许偏差应为±2°,并应锁紧固定叶片的螺母;拆、装叶片均应按标记进行,不得错装和互换,更换叶片应按设备技术文件的规定执行。

6.3.7 转子和轴承的组装应符合设备技术文件的规定。

6.3.8 风机转子部件的连接螺栓应按设备技术文件规定的力矩拧紧。

6.3.9 可调动叶片在关闭状态下与机壳间的径向间隙应符合设备技术文件的规定。当无规定时,叶轮与主体风筒对应两侧间隙允许偏差应符合表6.3.9的规定。

表6.3.9 叶轮与主体风筒对应两侧间隙允许偏差表(mm)

叶轮直径	≤600	600~1200	1200~2000	2000~3000	3000~5000	5000~8000	>8000
允许偏差	±0.5	±1.0	±1.5	±2.0	±3.5	±5.0	±6.5

6.3.10 可调叶片及其调节装置在静态下应检查其调节功能、调节角度范围、安全限位的可靠性和角度指示的准确性,各供油系统和液压控制系统应无泄漏现象。

6.3.11 中间传动轴的机组找正时应计算并留出中间轴的热膨胀量。

6.3.12 进气室、扩压器与机壳(主风筒)之间的连接应对中、贴平,并不得使机壳(主风筒)产生叶顶间隙改变的变形。

6.3.13 对旋轴流风机安装应符合下列规定:

    1 应检查电动机与控制柜的额定电流和电压是否相符,绝缘是否合格,否则应进行干燥处理;

    2 应安装Ⅰ、Ⅱ级风机主体;

    3 集风器与短接应对接;

    4 应调整叶片与机壳径向间隙,其径向单侧间隙不应小于叶轮公称直径的1‰~2‰;

    5 应根据需要按轮毂面上的刻度锁紧叶柄螺母,并应检查叶顶和保护环的间隙,对叶轮进行盘车,盘车时应轻快,不得有卡滞现象；

    6 检查电机进排油道是否有损伤，润滑脂应采用说明书规定的型号；

    7 应用螺栓将带有密封胶垫的各部件法兰全部连接好；

    8 应用卡轨器将整机和钢轨锁紧。

6.4 反风装置安装

6.4.1 风门安装前应检查风门外型尺寸。

6.4.2 风门提升绞车安装按本规范第13.1节的规定，风门提升绞车安装的标高和位置应符合设计要求。

6.4.3 风门支承梁及导向轮座安装应符合设计要求并牢固可靠；风门两侧边及上下边应平行，两侧边的宽度差及上下边的高度差，均不应超过3mm；风门边框对角线长度差不应超过5mm；滑道平直，滑道宽度允许偏差应为±5mm。

6.4.4 反风装置起动应灵活、可靠，风门关闭应严密。

6.4.5 采用蝶阀装置的，检查蝶阀的电动与手动开启、闭合；风门应灵活、无阻碍。

6.4.6 采用电动侧开式插板风门应符合下列规定：

    1 内外框架门槽的预埋质量应符合设计和厂家技术文件要求。

    2 齿条每个齿的倾角应保持一致，齿条的高度调整应符合技术文件要求，齿轮不应承担门的重量。

    3 固定齿条的螺栓、螺母与垫圈应按设计配置齐全，紧固后螺栓应露出螺母2个～4个螺距，外露长度一致；齿条衬垫在行走方钢上焊接应牢固。

    4 底部轨道、顶部轨道安装应平直，其全长直线度不应大于2.0mm，两轨道的宽度允许误差应为±1.0mm。轨道滚轮应与轨道类型相符。上部的导向轮应紧贴着槽壁。

    5 插板风门应无变形，开闭顺畅、无卡阻现象；限位开关动作安装位置应正确,灵敏可靠。

  6 检查行走机构底部槽沟应无杂物和积水。

6.5 防爆盖安装

6.5.1 安装前应对油槽进行清理,并应做试漏检查。

6.5.2 防爆盖组装结合面应密实、牢固。

6.5.3 防爆盖配重应符合设计要求,重锤支架安装时应将滑轮销轴涂润滑油。

6.5.4 油槽内应按设计要求配置密封液,防爆盖应封闭严密不漏风。

6.5.5 防爆盖安装完毕后应做升降试验,无卡阻。

6.6 试 运 转

6.6.1 试运转前的检查应符合下列规定:

  1 风机的进出通道的所有杂物应清理干净;

  2 检查各运转部位润滑情况应符合要求;

  3 主电机旋转方向应与机壳上标示的旋转方向一致;

  4 各连接部位应连接紧固;

  5 盘动转子,不得有卡阻现象;

  6 冷却水系统供水应正常;

  7 离心式通风机试运转前应关闭进气调节门。

6.6.2 通风机试运转应符合下列规定:

  1 点动电动机,各部位应无异常声响;

  2 空载试运转 4h 后应停机检查;

  3 将风叶角度调整到预定值,再开机观察电动机电流不得大于额定值;

  4 连续运转时间:叶轮直径 1.6m 及其以上者不应少于 48h,其他通风机不应少于 8h;

  5 试运转中,轴承温升及最高温度应符合本规范第 3.0.12

条的规定;

  6　油路、水路不渗漏,各仪表指示应灵敏可靠;

  7　风机运转中轴承的径向振幅应符合设备技术文件的规定,无规定时,应符合表6.6.2的规定。

表6.6.2　风机运转中轴承的径向振幅值表

转速(r/min)	≤375	375~550	550~750	750~1000	1000~1450	1450~3000	>3000
振幅不应超过(mm)	0.18	0.15	0.12	0.10	0.08	0.06	0.04

  8　动叶可调轴流式通风机振动速度,刚性应为4.6mm/s,挠性应为7.1mm/s(在机壳上测量)。

  9　检查风机在线监测装置的各项测量数据应无异常,并应符合设计要求。

7 压气系统安装工程

7.1 一般规定

7.1.1 本节适用于工作压力不大于1.0MPa,排气 $6m^3/min \sim 100m^3/min$ 固定式空气压缩机及其附属设备安装工程。

7.1.2 空气压缩机安装前应根据设计图纸对设备基础进行全面检查,并应符合本规范第3.0.6条的规定。

7.1.3 非平放式空气压缩机的安装,应在基础表面铲出麻面,以使二次浇灌的混凝土或水泥砂浆能与基础紧密结合。

7.1.4 压缩机安装时设备清洗和检查应符合下列规定:

  1 主机和附属设备的防锈油封应清洗洁净,并应除尽清洗剂和水分;

  2 设备应无损伤等缺陷,工作腔内不得有杂质和异物。

7.1.5 设备安装应符合下列规定:

  1 整体安装的压缩机在防锈保证期内安装时,其内部不可拆卸清洗;

  2 整体安装的压缩机纵向和横向安装水平度不应大于0.20/1000,应在主轴外露部分或其他基准面上进行测量;

  3 无公共底座机组找正时,应以驱动机或变速箱的轴线为基准,其端面间隙、径向位移应符合设备技术文件的规定,无规定时,其联轴器的连接应符合本规范附录A第A.7节的规定。

7.2 压缩机安装

7.2.1 往复式空气压缩机安装应符合下列规定:

  1 应对压缩机的活塞、连杆、气阀和填料进行清洗和检查,其中气阀和填料不得采用蒸汽清洗。

2 压缩机组装前应检查零件、部件的原有装配标记,下列零件和部件应按标记组装:

1)机身轴承座、轴承盖和轴瓦;
2)同一列机身、中体、连杆、十字头、中间接筒、气缸和活塞;
3)机身与相应位置的支承架;
4)填函、密封盒应按级别与其顺序进行组装。

3 机身和中体组装应符合下列规定:

1)将煤油注入机身内,使油位升至最高位,持续时间不得小于4h,应无渗漏现象。
2)机身的纵向和横向水平度不应大于0.05/1000,其测量部位应符合:卧式压缩机、对称平衡性压缩机的横向安装水平应在机身轴承孔处进行测量,纵向安装水平应在滑道的前、后两点的位置上进行测量;立式压缩机应在机身结合面上测量;L型压缩机应在机身法兰面上测量。
3)两机身压缩机的主轴承孔轴线的同轴度不应大于0.05mm。

4 组装轴承和曲轴时应符合下列要求:

1)曲轴和轴承的油路应洁净畅通,曲轴的堵油螺塞和平衡块的锁紧装置应紧固;
2)轴瓦钢壳与轴承合金层粘合应牢固,并应无脱壳和哑音现象;
3)轴瓦背面与轴瓦座应紧密粘合,其接触面积不应小于70%;
4)轴瓦与主轴颈之间的径向和轴向间隙应符合设备技术文件的规定;
5)对开式厚壁轴瓦的下瓦与轴颈的接触弧面夹角不应小于90°,接触面面积不应小于该接触面面积的70%,四开式轴瓦的下瓦和侧瓦与轴颈的接触面积不应小于每块瓦面积的70%;

6）薄壁瓦的瓦背与瓦座应紧密贴合,当轴瓦外圆直径小于或等于 200mm 时,其接触面积不应小于瓦背面积的 85%,当轴瓦外圆直径大于 200mm 时,其接触面积不应小于瓦背面积的 70%,且接触应均匀;薄壁瓦的组装间隙应符合设备技术文件的规定,瓦面的合金层不宜刮研,当需刮研时,应修刮轴瓦座的内表面;

7）曲轴的安装水平偏差不应大于 0.10/1000,并应在曲轴每转 90°的位置上,用水平仪在主轴颈上进行测量;

8）曲轴轴线对滑道轴线的垂直度偏差不应大于 0.10/1000;

9）检查各曲柄之间上、下、左、右四个位置的距离,其允许偏差应符合设备技术文件的规定,当无规定时,其偏差不应大于行程的 0.10/1000;

10）曲轴组装后盘动数转,应无阻滞现象。

5 气缸组装应符合下列规定：

1）气缸组装后,其冷却水路应按设备技术文件的规定进行严密性试验,并应无渗漏;

2）卧式气缸轴线对滑道轴线的同轴度允许偏差应符合表 7.2.1 的规定,其倾斜方向应与滑道倾斜方向一致,在调整气缸轴线时,不得在气缸端面加放垫片;

表 7.2.1 卧式气缸轴线对滑道轴线的同轴度公差(mm)

气缸直径	径向位移	整体倾斜
>100 且≤300	0.07	0.02
300~500	0.10	0.04
500~1000	0.15	0.06
>1000	0.20	0.08

3）立式气缸找正时,活塞在气缸周围的间隙应均匀,其最大与最小间隙之差不应大于活塞与气缸间平均间隙值的 1/2。

6 连杆组装应符合下列规定：
  1）油路应清洁、畅通；
  2）厚壁的连杆大头瓦与曲轴轴颈的接触面面积不应小于大头瓦面积的70%；薄壁的连杆大头瓦不宜刮研，其连杆小头轴套（轴瓦）与十字销的接触面积不应小于小头轴套（轴瓦）面积的70%；
  3）连杆大头瓦与曲柄轴颈的径向间隙、轴向间隙应符合设备技术文件的规定；
  4）连杆小头轴套（轴瓦）与十字销的径向间隙、轴向间隙均应符合设备技术文件的规定；
  5）连杆螺栓和螺母应按设备技术文件规定的预紧力，均匀拧紧和锁牢。
7 十字头组装应符合下列规定：
  1）十字头滑履与滑道接触面面积不应小于滑履面积的60%；
  2）十字头滑履与滑道间的间隙在行程的各位置上均应符合设备技术文件的规定；
  3）对称平衡型压缩机的十字头组装时，应按制造厂所做的标记进行，并不得装错；
  4）十字头销的连接螺栓和锁紧装置，均应拧紧和锁牢。
8 活塞和活塞杆组装应符合下列规定：
  1）活塞环表面应无裂纹、夹杂物和毛刺等缺陷；
  2）活塞环应在气缸内做漏光检查，在整个圆周上漏光不应超过两处，每处对应的弧长不应大于36°，且与活塞环开口的距离应大于对应15°的弧长，但非金属环除外；
  3）活塞环与活塞环槽端面之间的间隙、活塞环放入气缸的开口间隙，均应符合随机技术文件的规定；
  4）活塞环在活塞环槽内应能自由转动，手压活塞环时，环应能全部沉入槽内，相邻活塞环开口的位置应互相错开；

5）活塞与气缸镜面之间的径向间隙和活塞在气缸内的内、外止点间隙,应符合随机技术文件的规定;

6）浇有轴承合金的活塞支承面与气缸镜面的接触面面积不应小于活塞支承弧面的60%;

7）活塞杆与活塞,活塞杆与十字头应连接牢固并应锁紧。

9 填料函和刮油器组装应符合下列规定:

1）油、水、气孔道应清洁和畅通;

2）各填料环的装配顺序不得互换;

3）填料与各填料环端面、填料盒端面的接触应均匀,其接触面面积不应小于端面面积的70%;

4）填料、刮油器与活塞杆的接触面积应符合随机技术文件的规定,当无规定时,其接触面积不应小于该组环面积的70%,且接触应均匀;

5）刮油刃口不应倒圆;刃口应朝向来油方向;

6）填料函和刮油器组装后,各处间隙应符合随机技术文件的规定,并应能自由转动;

7）填料压盖的锁紧装置应锁牢。

10 气阀组装应符合下列规定:

1）各气阀弹簧的自由长度应一致,阀片和弹簧应无卡住和歪斜现象;

2）阀片的升程应符合随机技术文件的规定;

3）气阀组装后应注入煤油进行严密性试验,并应无连续的滴状渗漏。

11 $40m^3/min$ 及以上的空气压缩机安装所用垫铁,应符合本规范附录A第A.1.2条中"三类"垫铁的规定,$40m^3/min$ 以下的空气压缩机应符合本规范附录A第A.1.2条中"二类"垫铁规定,垫铁布置应符合本规范附录A第A.1.5条的规定。

7.2.2 螺杆式压缩机安装应符合下列规定:

1 检查压缩机到货状态,包装应完好无损,机组在运输过程

中应无变形和损坏,管路附件及紧固件应无松动和脱落;

2 主机和附属设备的防锈油封应清洗洁净,并应除尽清洗剂和水分;

3 设备应无损伤等缺陷,工作腔内不得有杂质和异物;

4 螺杆压缩机应能够安装在任何有支承能力的平地上;

5 压缩机安装前,应将基础表面用混凝土抹平,上铺弹性橡胶板,厚度不应小于10mm;

6 压缩机安装地点应通风良好,同时安装地点应无灰尘、化学品、金属屑以及易燃易爆物;

7 不得阻碍空气导入和流出机组,并应将散热出风口引至室外;

8 安装时空压机四周应有1m的净空,仪表板前应保持1.1m的净空;

9 螺杆压缩机不采用隔离措施时,不应安装在有往复式压缩机的空气管网中,两类型的压缩机应利用各自管道接到一个公共储气罐中去。

7.3 室内管路及附属设施安装

7.3.1 室内管路、管道附件安装及试验应符合本规范第11.3节的规定。

7.3.2 安全阀在安装前应铅封良好,标牌上的技术参数应符合设计要求。

7.3.3 安全阀在安装前应进行校验合格,并应保存试验记录。

7.3.4 安全阀的最终调试应符合设计要求,并应符合下列规定:

1 应垂直安装;

2 在系统上调试时的开启和回座压力应满足设计文件要求;

3 在工作压力下应无泄漏;

4 最终调试合格后,应重做铅封。

7.3.5 管道埋设、防腐蚀应符合设计要求,并应做好隐蔽工程记录。

7.3.6 管道支架的加工制作和安装,应符合设计要求和本规范第11.2节和第11.3节的有关规定。

7.3.7 压气管路应按额定压力做送风试验。

7.3.8 附属设备安装的允许偏差项目应符合表7.3.8的规定。

表7.3.8 附属设备安装的允许偏差(mm)

项次	项 目	允许偏差
1	卧式设备的水平度	≤1/1000
2	立式设备的水平度	≤1/1000
3	淋水式冷却器排管的水平度及排管立面的垂直度	≤1/1000

7.3.9 风包释压阀应安装在出口管路正对气流方向上,并不得对准人行通道。

7.3.10 风包、后冷却器等承受压力的附属设备应用1.5倍空压机工作压力做水压试验,强度试验以水为介质持续5min应无渗漏或变形。

7.4 试 运 转

7.4.1 压缩机试运转前应按设备技术文件的规定进行检查,并应符合下列规定:

1 在润滑系统清洗洁净后,加注润滑剂的规格和数量应符合设计要求;

2 冷却水系统,进、排水管路应畅通、无渗漏,冷却水水质应符合设计要求,供水应正常;

3 油压、温度、断水、电动旁通阀、过电流、欠电压等安全联锁装置应调试合格;

4 压缩机吸入口处应装设空气过滤器和临时过滤网。

7.4.2 往复式空气压缩机试运转应符合下列规定:

1 往复式空气压缩机负荷试运转时间应符合下列规定:

1) $10m^3/min$ 及其以上空气压缩机,不应小于4h;

  2）$10m^3/min$ 以下空气压缩机，不应小于2h。
  2 应能安全启动，升压、释压应运行正常；
  3 排气压力等性能指标应达到设备技术文件的规定；
  4 各运动部件应无异常声响；
  5 各连接部件应无松动，无漏气、漏油及漏水现象。
  6 空气压缩机的安全阀、油压保护、断水保护、信号及超温保护等保护装置应符合设计要求，且动作灵活可靠；
  7 各部温度应符合产品技术文件的规定；产品技术文件无规定时，应符合下列要求：
    1）有十字头空气压缩机润滑油温度不应高于60℃，无十字头空气压缩机润滑油温度不应高于70℃；
    2）各级排水温度不应高于40℃；
    3）单级空气压缩机的排气温度不应高于170℃，多级空气压缩机各级排气温度不应高于160℃，经二次冷却后的排气温度不应高于40℃；
    4）各轴承温度和温升应符合本规范第3.0.12条的规定。

7.4.3 螺杆式空气压缩机试运转应符合下列规定：
  1 压缩机空负荷试运转应符合下列规定：
    1）启动油泵，在规定的压力下运转不应小于15min；
    2）单独启动驱动机，其旋转方向应与压缩机标示方向相符；当驱动机与压缩机连接后，盘车应灵活、无阻滞现象；
    3）启动压缩机，空负荷运转应为2min～3min，无异常现象后，连续运转时间不应小于30min；
    4）再次启动压缩机，应连续进行运转，不应小于2h，轴承温度和温升应符合设备技术文件的规定，设备技术文件无规定时，应符合本规范第3.0.12条的规定。
  2 压缩机负荷试运转应符合下列规定：
    1）各种测量仪表和有关阀门的开启或关闭应灵敏、正确、可靠；

2)启动压缩机,在负荷下连续运转的时间不应小于 2h;
3)在额定压力下连续运转时应检查:润滑油压力、温度和各部分的供油情况,排气的温度和压力,排水的温度和冷却水的供水情况,各轴承的温度,电动机的电流、电压、温度;
4)压缩机升温试验运转应按设备技术文件的规定执行;
5)压缩机试运转合格后,应彻底清洗润滑系统,并应更换润滑油。

8 排水系统安装工程

8.1 一般规定

8.1.1 本章适用于离心泵、潜水电泵的安装。

8.1.2 垫铁的选用及布置应符合本规范附录 A 第 A.1 节的规定。

8.2 离心泵安装

8.2.1 整体出厂的离心泵在防锈保证期内不宜拆卸,只清洗外表。当超过防锈保证期或有明显缺陷需拆卸时,其拆卸、清洗和检查应符合设备技术文件的要求,当设备技术文件无要求时,应符合下列规定:

  1 拆下叶轮部件应清洗洁净,叶轮应无损伤;

  2 冷却水管路应清洗洁净,并应保持畅通;

  3 管道泵和共轴式泵不宜拆卸;

  4 泵的主要零件、部件和附属设备、中分面和套装零件、部件的端面不得有擦伤和划痕;轴的表面不得有裂纹、压伤及其他缺陷;清洗洁净后除水分,将零部件和设备表面涂上润滑油并应按装配的顺序分类放置;

  5 泵壳垂直中分面不宜拆卸和清洗。

8.2.2 泵轴安装的水平度应符合下列规定:

  1 40kW 及其以上水泵,轴的水平度不应大于 0.5/1000;

  2 40kW 以下的水泵,轴的水平度不应大于 1/1000。

8.2.3 泵的横向水平度不应大于 1/1000。

8.2.4 水泵找正时,应以轴颈、机座加工面或法兰盘为基准面用水平仪进行测量。

8.2.5 联轴器的径向位移、端面间隙、轴线倾斜均应符合设备技术文件的规定;当无规定时,应符合本规附录 A 第 A.7 节的规定。

8.2.6 转子部件与壳体部件之间的径向总间隙应符合设备技术文件的规定。

8.2.7 泵轴窜量及前、后间隙应符合设备技术文件的规定,多级泵各级平面间原有垫片的厚度不得变更。

8.2.8 叶轮出口的中心线应与泵壳流道中心线对准;多级泵在平衡盘与平衡板靠紧的情况下,叶轮出口的宽度应在导叶进口宽度范围内。

8.2.9 组装填料密封径向总间隙应符合设备技术文件的规定,当无规定时,应符合表 8.2.9 的要求,填料压紧后,填料环进液口与液封管应对准或使填料环稍向外侧。

表 8.2.9 组装填料密封的要求(mm)

序号	组装件名称	径向总间隙
1	填料环与轴套	1.00~1.50
2	填料环与填料箱	0.15~0.20
3	填料压盖与轴套	0.75~1.00
4	填料压盖与填料箱	0.10~0.30
5	有底环时与轴套	0.70~1.00

8.2.10 离心泵安装允许偏差应符合表 8.2.10 的规定:

表 8.2.10 离心泵安装允许偏差(mm)

项次	项目	偏差要求
1	叶轮出口中心线与涡轮中心线	≤1
2	多级泵在平衡盘靠紧的情况下叶轮出口的位置	在导翼进口宽度内
3	位置偏差	≤10
4	标高偏差	±10
5	多台泵体位置相互差(注)	≤15
6	多台泵体标高相互差	≤20

注:多台同型号泵安装时,泵体中心线在一条直线上时的偏差。

8.3 潜水电泵安装

8.3.1 泵的清洗和检查应符合下列规定：
　1 零部件的所有配合面均应清洗洁净；
　2 出厂已装配好的部件不应拆卸，工作部件或转动部分的转动应灵活、无阻滞现象。

8.3.2 泵就位前应进行下列检查：
　1 井管内应无杂物；
　2 法兰上保护电缆的凹槽，不得有毛刺或尖角；
　3 电缆接头浸入常温的水中6h后，用摇表测量，其绝缘电阻不得低于5MΩ；
　4 电机定子绕组在浸入常温水中或绝缘油中48h后，其绝缘电阻不得小于40MΩ。

8.3.3 潜水电泵安装应符合下列规定：
　1 泵与电机组装后，应按设备技术文件的规定向电动机内灌满清水或绝缘油，干式电机除外；
　2 应采用自悬吊入井的潜水泵，应校核法兰螺栓的强度；
　3 泵的动力电缆应牢固地捆绑在排水管上，电缆捆绑应整齐、牢固；
　4 井管内安装时，井管内径应比泵入井部分的最大外形尺寸大50mm，泵体在井内可上下自由升降，并不得损伤潜水电缆；泵入井管（入井）前，应做电动机转向的检查；
　5 潜水泵在规定的使用条件下使用，机组潜入水中的深度应符合设备技术文件的规定，无规定时，不得大于70m，当大于70m时应对电机定子绕组、电缆和电缆接头进行耐水压试验；
　6 潜水泵安装时应配套安装水位控制器，水位控制器的水位高度应符合设备技术文件的规定。

8.4 室内管道及附件安装

8.4.1 管道与设备的连接应符合下列规定：

  1 应按施工图布置室内管路的路径；应确定管路的起点、终点、变径点、预留口、坡度走向和支(吊)架的位置；

  2 与设备连接的管道安装前应清理干净，安装时管道与设备口之间应有镀锌铁皮或石棉板临时隔断，管道固定焊口应远离设备；

  3 泵的吸入和排出管路的配置应符合下列规定：

   1）所有与泵连接的管路应具有独立、牢固的支承，以消减管路的振动和防止管路的重量压在泵上；

   2）吸入管路宜短且宜减少弯头；

   3）当采用变径管时，变径管的长度宜为大小管径差的5倍～7倍；

   4）吸入管路内不应有窝存气体的地方，当泵的安装位置高于吸入液面时，吸入管路的任何部分都不应高于泵的入口；水平直管段应有倾斜度(泵的入口处高)，并不宜小于5/1000；

   5）法兰连接应平行并保持同轴性，每组法兰使用相同规格、型号的螺栓，穿向一致；

   6）安装好的管道不得承受拉力或用于其他支撑。

8.4.2 管路的加工制作和安装应符合本规范第11.2节和第11.3节的规定。

8.4.3 附件安装应符合下列规定：

  1 阀门的安装位置、进出口方向应正确，连接应牢固、紧密，启闭灵活，手轮、手柄朝向应合理；

  2 压力表朝向应便于观测，表面洁净。

8.5 试 运 转

8.5.1 泵试运转前的检查应符合下列规定：

1 电动机的转向应与泵的转向一致；

　　2 各固定连接部位应无松动；

　　3 各润滑部位加注润滑剂的型号和数量应符合设备技术文件的规定，有预润滑要求的部位应按设备技术文件的规定进行预润滑；

　　4 各指示仪表、安全保护装置及电控装置均应灵敏、准确、可靠；

　　5 盘车应灵活、无异常现象；

　　6 泵启动前，泵的入口阀门应处于全开状态（当泵安装位置低于水仓位置时）；出口阀门：离心泵应全闭，潜水电泵应全开。

8.5.2 泵试运转时间应符合下列规定：

　　1 主排水泵不应小于 8h；

　　2 其他水泵不应小于 4h；

　　3 高速泵及特殊要求的泵，试运转时间应符合设备技术文件的规定。

8.5.3 水泵在设计负荷下连续运转 2h 后应符合下列规定：

　　1 轴承温度应符合本规范第 3 章的要求；

　　2 各紧固连接部位应无松动；

　　3 运转中应无异常声响；

　　4 各静密封部位应不泄露；

　　5 填料的温升应正常，平衡盘出水温度不应过热；

　　6 泵的安全保护装置应灵敏、可靠；

　　7 附属系统运转应正常；

　　8 电动机的电流不得大于额定值；

　　9 压力表指针应无大幅度摆动。

8.5.4 离心泵试运转应符合下列规定：

　　1 打开吸入管路阀门，关闭排出管路阀门，高温泵和低温泵应按设备技术文件的规定执行。

　　2 泵的平衡盘冷却水管路应畅通；吸入管路应充满输送液

体,并排尽空气,不得在无液体情况下启动。

  3 泵启动后应快速通过喘振区。

  4 转速正常后应打开出口管路的阀门,出口管路阀门的开启不宜大于3min,并应将泵调节到设计工况,不得在性能曲线驼峰处运转。

  5 各润滑点的润滑油温度、密封液和冷却水的温度均应符合设备技术文件的规定,润滑油不得有渗漏和雾状喷油现象。

  6 密封应符合下列规定:

   1)机械密封的泄漏量不应大于5mL/h,且温升应正常;

   2)填料密封的泄漏量,应符合表8.5.4的规定。

表8.5.4 填料密封的泄露量

设计流量(m^3/h)	<50	50～100	100～300	300～1000	>1000
泄漏量(mL/min)	15	20	30	40	60

  7 需要测量轴承体处振动值的泵,应在运转无气蚀的条件下测量。

  8 泵停止试运转后,应符合下列规定:

   1)离心泵应关闭泵的入口阀门,待泵冷却后应再依次关闭附属系统的阀门;

   2)应放净泵内积存在液体。

8.5.5 潜水电泵试运转除应符合本规范第8.5.1条规定外,还应符合下列规定:

  1 潜水泵电缆的电压降,不得大于潜水泵额定电压的5%;

  2 启动前,井下部分的排水管内不应充水,当排水管中的水尚未全部流回井内时,泵不得重新启动;

  3 排水管应无异常的振动。

9 水处理设备安装工程

9.1 一般规定

9.1.1 本章适用于矿井水处理设备安装工程。

9.1.2 检查零部件与装配有关的形状和尺寸精度,应确认符合设计图纸和产品技术文件的要求。

9.1.3 各零部件的配合表面和摩擦表面不应有损伤,有轻微损伤时应修复。

9.1.4 所有的零部件表面应清理干净,配合表面应涂润滑油(忌油设备除外)。

9.1.5 固定连接处不得有间隙,活动连接处的间隙应符合产品技术文件的要求。

9.1.6 工作时有振动的零部件连接时,应有防止松动的保险装置。

9.1.7 润滑管路应清洗干净并吹扫,无溶剂或水分。

9.1.8 轴承的装配应符合本规范附录A第A.9节的规定。

9.1.9 各类联轴器的装配应符合本规范附录A第A.7节的规定。

9.1.10 皮带、链条和齿轮的装配应符合本规范附录A第A.5节和A.8节的规定。

9.1.11 设备验收应符合本规范第3.0.6条的规定。

9.1.12 垫铁规格及布置、基础灌浆,应符合本规范附录A第A.1节和A.3节的规定。

9.1.13 基础螺栓安装,应符合本规范附录A第A.2节的规定。

9.2 污水处理设备安装

9.2.1 转鼓细格栅机的安装应符合下列规定:
　　1 应先安装侧支架,两边应对称安装,固定牢靠,确保侧支架

水平度允许偏差为±0.5mm,垂直度允许偏差应为±1mm;

    2 格栅机应吊起放到设计安装位置,并应确定挡水板的位置,在挡水板的位置应将角钢固定牢靠;

    3 应按设计要求用仪器调整格栅机倾斜角度,其倾斜角度允许误差应为±0.5°;

    4 支架及附件安装应符合设计要求,并应安装牢固;

    5 应封堵挡水板及两侧支架的间隙;

    6 应按图纸安装冲洗管,冲洗管每处接头应连接紧密,不应出现漏水现象。

9.2.2 污水离心泵安装除应符合本规范第8.2节规定外,还应符合下列规定:

    1 基础顶面水平度不应大于5/1000,全长应小于10mm;

    2 进出水管安装垂直度不应大于1/1000,全长应小于10mm;

    3 泵体水平度、垂直度不应大于0.1/1000。

9.2.3 机械搅拌设备的安装应符合下列规定:

    1 搅拌机的安装应符合其对空间尺寸的要求,包括下伸装置叶轮的转动所需空间;

    2 与药剂接触的部件(包括紧固螺栓),都应采用耐腐蚀材料或采取合适的防腐措施;

    3 搅拌桨叶安装时应对称设置,不得发生任何碰撞和摩擦;

    4 搅拌机的调试应按设备技术文件进行。

9.2.4 加药泵及管道的安装应符合下列规定:

    1 加药泵应按设计要求安装、固定;

    2 管道敷设应平直,坡度加药点附近应减少弯管设置;

    3 投药管道接口应按设备技术文件规定选用;

    4 管道应设置管沟;

    5 吸水管长度应符合设备技术文件要求,加药管应直接插入水体中。

9.2.5 污水处理器安装应符合下列规定：

1 安装前应按设计及技术文件要求，以安装基准线确定标高和中心位置；

2 立式设备的垂直度应以设备两端部的测点为基准，其垂直度应为高度的 2/1000，且最大不应大于 15mm；水平安装的设备，轴向水平度不应大于 1/1000，径向水平度不应大于 2/1000；

3 各部件连接应牢固；

4 所有连接用螺栓应符合本规范附录 A 第 A.2 节的规定。

9.2.6 曝气器安装应符合下列规定：

1 应对曝气系统的立管、支管、曝气器预留孔、预埋件基础尺寸进行校验复核，曝气器的安装位置与高度应符合设计图纸和设备技术文件的规定，安装后应平整坚实；

2 应将曝气器基座放入预埋地脚螺栓，使用调整螺母或钢垫铁将曝气器调平至设计高度，并应固定牢固；

3 安装精度要求：平面位置允许偏差应为±10mm，水平允许偏差应为±5mm，水平度不得大于 5/1000；

4 处理池内曝气管及曝气头安装应符合下列规定：

1) 核查处理池池底尺寸及平面度，符合要求后方可安装；
2) 曝气管及曝气头系统安装前，应清除内外表面的杂物；
3) 管道支架安装应要求所有支架处于同一水平面，并应按设计要求固定支架；
4) 曝气管应按设计安装，连接牢固，直线度不得大于 2/1000，水平度允许偏差应为±5mm；
5) 管道安装标高偏差及曝气头顶面标高允许偏差应为±5mm；
6) 立管安装垂直度应小于 5/1000，全长不应大于 10mm；
7) 应检查曝气头，应无破损、无堵塞；
8) 曝气管及曝气头系统安装完毕，应做充气试验以检查曝气器布气的均匀性和管路连接的严密性。

9.3 井下水净化设备安装工程

9.3.1 电渗析器安装应符合下列规定：

1 电渗析器的组装：膜堆、电极、夹紧装置应严格按设备技术文件要求进行组装，夹紧装置用螺杆锁紧，要对称紧固，用力均匀；

2 电渗析器的安装：设备就位前，应按设计图纸标定安装基准线，设备位置允许偏差应为±10mm，机体标高允许偏差应为±10mm，机体安装垂直度不应大于2/1000，水平度不应大于1/1000。

9.3.2 室内管路安装应符合下列规定：

1 钢管路的加工制作和安装应符合本规范第11.2节和第11.3节的相关规定；

2 高密度聚乙烯、硬聚氯乙烯、丙烯腈-丁二烯塑料等管道的安装，连接方法应采取粘接连接：

1）粘接剂配方应按厂家技术要求和设计规范进行配比；

2）管材或管件在粘合前，应保证承口内侧和插口外侧清洁，保证无尘砂与水迹；

3）用毛刷将粘接剂迅速刷在插口外侧及承口内侧结合面，涂刷均匀适量，每个接口粘接剂用量应符合产品技术文件的规定；

4）承插口涂刷粘接剂后，应立即找正方向将管端插入承口，用力挤压，使插口插入承口底部，其固化时间应符合粘接剂产品技术文件规定；

5）粘接应牢固，连接件之间应紧密、无孔隙；

6）部件安装应平直、无扭曲，表面无裂纹、鼓泡和变质等缺陷；

7）安装允许偏差：坐标允许偏差应为±25mm，标高允许偏差应为±15mm，横向弯曲全长25m以上允许偏差应为±25mm。

3 高密度聚乙烯、硬聚氯乙烯、丙烯腈-丁二烯塑料等管道的安装,连接方法采取热熔连接时,应按产品技术文件要求的熔接温度和操作工艺进行;熔接后的冷却时间,应符合产品技术文件的规定。

9.4 试 运 转

9.4.1 试运转前应做好下列工作:
  1 转动部位加注润滑油的型号和数量应符合设备技术文件规定;
  2 试运转前应对各系统进行严密性试验,无渗漏。

9.4.2 试运转应符合下列规定:
  1 试运转的时间应符合产品技术文件的规定;
  2 试运转过程中机械内部应无异常声响及振动;
  3 各仪表指示应准确,保护应灵敏可靠;
  4 电动机运转情况应正常。

10 瓦斯抽排系统安装工程

10.1 一般规定

10.1.1 本章适用于煤矿瓦斯抽排系统的安装工程。

10.1.2 设备到货时的检查和验收,除应符合本规范第3.0.6条的规定外,还应符合下列规定:
    1 一般固定结合面的间隙不应大于0.05mm;
    2 重要部位结合面的间隙不应大于0.04mm;
    3 特别重要的固定结合面,不得有间隙。

10.1.3 泵站的防雷电、防火、防洪、防冻等设施,应严格按有关标准施工。

10.2 固定式瓦斯泵站设备安装

10.2.1 泵的清洗应符合下列规定:
    1 泵在防锈保证期内,其内部零件不宜拆卸,只清理外表。当超过防锈保证期或有明显缺陷需拆卸时,其拆卸、检查和清洗应符合产品技术文件的规定。
    2 带有内腔的瓦斯泵或部件在封闭前,应仔细检查和清理,其内部不得有异物。

10.2.2 瓦斯泵安装应符合下列规定:
    1 根据设计,应标定设备安装十字中心线、标高线及地脚螺栓孔的中心线,并应做好标记;基础的标高、地脚螺栓孔位置应符合设计要求;
    2 泵站安装用垫铁应符合本规范附录A第A.1节的规定;
    3 连接螺栓应符合本规范附录A第A.2节的规定;
    4 基础灌浆应符合本规范附录A第A.3节的规定;

5 联轴器的装配应符合本规范附录 A 第 A.7 节的规定;
6 瓦斯泵安装应符合表 10.2.2 的规定。

表 10.2.2 瓦斯泵安装允许偏差

项次	项 目	偏差要求
1	位置偏差(mm)	≤10
2	标高偏差(mm)	±10
3	泵轴向水平度	≤0.1/1000
4	泵纵向水平度	≤0.2/1000
5	多台泵位置相互差(mm)	≤15
6	多台泵标高相互差(mm)	≤15

10.2.3 地面瓦斯抽排站的放空管垂直度不应大于 2/1000,最大不应大于 20mm。

10.3 移动式瓦斯抽排泵站设备安装

10.3.1 在设备运输及安装期间,泵站管路进、出口应有防护盖。

10.3.2 移动式瓦斯抽排泵站设备安装,除应满足固定式瓦斯泵站设备安装的要求外,还应满足下列规定:

1 应根据抽放瓦斯的区域就近安装,并应安装在新鲜风流中;

2 泵站安装时,应将平板车水平放置,并应垫稳;

3 泵站各管线连接处应用胶垫密封,不得有漏气现象;

4 在泵站进气口端,应安装金属过滤网,过滤网外圆周要留有一定的装夹余量。过滤网可选用现行国家标准《工业用金属丝编织方孔筛网》GB/T 5330 中规定的 GFW 4.00/0.710(平纹);

5 高、低浓度瓦斯传感器显示屏应安设在便于观测的位置,矿用隔爆兼本安型多功能断电控制器应安装在支架上;

6 孔板流量计、甲烷传感器及压力表等附属设施应按设计要求安装;

7 泵站电气设备及监测、监控系统应按井下电气防爆标准进行施工,设备的外壳应可靠接地。

10.4 室内管道及附属设施安装

10.4.1 室内管道的制作与安装应符合下列规定:
    1 管道的加工制作应符合本规范第11.2节的规定;
    2 管道的安装除应符合本规范第11.3节的规定外,还应符合下列规定:
        1)室内瓦斯管道不得与任何带电物体接触,并应与动力电缆等分开敷设;
        2)管道不得直接焊在支架上,管道与设备连接时,不应使设备承受附加外力,并不得使异物进入设备或元件内;
        3)应避免急弯:外径大于30mm的软管,其最小弯曲半径不应小于其外径的9倍,外径小于或等于30mm的软管,其最小弯曲半径不应小于其外径的7倍;
        4)金属软管与管道的配接应用相应的过渡接头,长度应根据需要确定;
        5)当管道长度大于1m或受急剧振动时,宜用管卡固定;
        6)软管长度除满足弯曲半径和移动行程外,其余量不宜小于4%。

10.4.2 防爆、防回火装置安装应符合下列规定:
    1 对需要现场组装的滤网式防回火器,安装前应将金属网按设计的规格尺寸和数量裁剪好,对正层叠后,装入防回火桶体内;
    2 防爆、防回火装置,应严格按设计及产品技术文件的要求安装。

10.4.3 防雷、接地装置安装应符合下列规定:
    1 所有材料应严格按设计要求选材;
    2 避雷针、避雷线、接地线、接地体等,应按设计要求加工制作;
    3 接地线的搭接应符合设计要求;

4 接地体的埋设深度和距离,应符合设计要求;

5 接地体的接地电阻应符合设计要求;避雷针、避雷线的接地体应单独设置;当设计无要求时,接地电阻值不应大于 2Ω;

6 避雷针应垂直安装,其垂直度不应大于 3/1000,最大不应大于 15mm;

7 避雷线安装应平直、紧固,不应有高低起伏和弯曲;

8 所有连接件应采用镀锌件,并应齐全、紧固。

10.4.4 监测、监控系统安装应符合下列规定:

1 监测、监控系统中,各种传感器、断电装置的型号、规格应符合设计要求;

2 各种传感器、仪表等应经校验合格;

3 传感器数量及安装位置、断电装置安装位置,应符合设计要求;

4 报警浓度、断电浓度及断电控制范围等应符合设计要求;

5 监测、监控系统布线时,应与动力电缆、管路分开布置,其与动力电缆的距离不应小于 300mm,与管路的距离不应小于 1m;

6 需要接地的传感器和断电装置,应可靠接地;

7 泵站投入运行前,应对监测、监控系统进行报警和断电闭锁试验。

10.4.5 放水器位于管路最低处,应垂直安装,其垂直度偏差不应大于防水器全高的 2/1000。

10.4.6 孔板流量计安装应符合下列规定:

1 孔板的安装应保证孔板中心与管道中心相重合,方向应正确,端面与管道轴线垂直,其垂直度不得大于 0.5°,径向位移不应大于 0.5mm,法兰盘所用垫片不应突出管壁内;

2 孔板流量应在管道清洗吹扫合格后安装。

10.5 试 运 转

10.5.1 试运转前应做好下列工作:

    1 先单独试验电动机的转动方向,后连接对轮或皮带轮;
    2 真空泵盘车应灵活,无阻滞;
    3 泵填料函处的冷却水管路应畅通,水量、水压满足要求;
    4 真空调节阀应调整至合适的开度;
    5 应向泵体内注入清水,盘车冲洗洁净后方能启动;
    6 电气操作控制系统及仪表的调整试验应符合设计要求;
    7 各系统的工作介质供给应不间断和无泄漏;
    8 泵房 20m 范围内应杜绝火源。

10.5.2 试运转时间应符合下列规定:
    1 空负荷运转时间不应少于 2h;
    2 负荷试运转时间不应少于 4h。

10.5.3 空负荷试运转应采用空气作为介质。

10.5.4 试运转应符合下列规定:
    1 设备应无异常振动及声响;
    2 轴承温度及温升应符合本规范第 3.0.12 条的规定;
    3 泵站管路及各辅助系统应运转正常;
    4 各仪表指示应正常;
    5 试运转结束后,系统应进行放气和排污清理。

11 矿井管道安装工程

11.1 一般规定

11.1.1 本章适用于工作压力不大于 16MPa 的矿井排水、供水、洒水、压气、瓦斯抽排及注氮管道工程(以下简称"管道")的安装,泥浆管道可按矿井排水管道工程安装,制冷管道可按注氮管道工程安装。

11.1.2 管道穿越巷道底板、道路、孔洞、墙壁、楼板、屋面时,应砌筑涵洞或加套管保护,加套管时,套管内不得有焊缝,穿越位置和保护措施应符合设计要求;穿墙套管长度不得小于墙厚,穿楼板套管应高出楼面 50mm,穿过屋面的管道应有防水肩和防雨帽,管道与套管之间的空隙应采用不燃材料填塞。

11.2 排水、供水、洒水管道安装

Ⅰ 一般规定

11.2.1 管道组成件及管道支承件的检验应符合下列规定:

1 管道组成件及管道支承件的材质、规格、型号应符合设计文件的规定,应具有材质证明书或产品合格证,检验结果应填写"管道元件检查记录"。

2 管道组成件及管道支承件在施工过程中应妥善保管,不得混淆或损坏,其色标或标记应明显清晰。

3 阀门检验应符合下列规定:

　1)排水、供水和洒水管道的阀门,应从每批中抽查 10%,且不得少于 1 个进行壳体压力试验,当不合格时,应加倍抽查,仍不合格时该批阀门不得使用。

　2)阀门的壳体试验压力应为其最大允许工作压力的 1.5

倍,试验时间不得少于5min,以壳体填料无渗漏为合格;密封试验压力应为其最大允许工作压力的1.1倍,以密封面不漏为合格。
3) 公称直径大于或等于600mm、公称压力小于1MPa的阀门,不可单独进行壳体压力试验和闸板密封试验。壳体压力试验宜在系统试压时按管道系统的试验压力进行试验。闸板密封试验可采用色印等方法进行检验,结合面上的色印应连续。
4) 试验合格的阀门,应排尽内部积水,吹干后涂油防锈,并应按规定的格式填写"阀门试验记录"。
5) 压力试验,应以洁净水为试验介质。

Ⅱ 管道加工与制作

11.2.2 管道制作应符合下列规定:
 1 管道元件的加工制作除应符合本规范的有关规定外,还应符合设计文件和相应产品标准的规定。
 2 管道切割应符合下列规定:
   1) 管道组成件应保存材料的原始标记,当切割、加工不可避免地破坏原始标记时,应采用移植方法重新进行材料标识,或对管道进行统一编号;
   2) 管道切割宜采用机械加工方法;
   3) 管道切口表面应平整,无裂纹、重皮、毛刺、凸凹、缩口、熔渣、氧化物、铁屑等,切口端面倾斜偏差不应大于管道外径的1%,且不得大于3mm。
 3 坡口制备应符合下列规定:
   1) 坡口制备宜采用机械加工方法;
   2) 坡口形式和尺寸应符合设计文件的要求,当设计文件无要求时,应符合现行国家标准《现场设备、工业管道焊接工程施工规范》GB 50236的有关规定。
 4 弯管制作应符合下列规定:

  1) 弯头宜采用机制弯头,特殊情况可采用焊接弯头;
  2) 弯管表面应光洁,无裂纹、分层、重皮、过烧等缺陷,过渡圆滑;
  3) 有缝管制作弯管时,焊缝应避开受拉(压)区;
  4) 弯管不圆度不应大于 8%,壁厚的减薄率不应大于 15%。
 5 管道焊接应符合下列规定:
  1) 焊接材料应具有产品质量证明书,焊条、焊剂使用前应按产品说明书的要求烘干,焊丝表面应洁净;
  2) 所有管道承压元件的焊接,包括承压件与非承压件的焊接,应采用经评定合格的焊接工艺,焊接工艺评定应按国家现行标准《焊接工艺规程及评定的一般原则》GB/T 19866 的规定进行。
 6 管道焊缝位置应符合下列规定:
  1) 直管段上两个对接焊口中心面间的距离,当公称直径大于或等于 150mm 时,不应小于 150mm;当公称直径小于 150mm 时,不应小于管道外径;
  2) 焊缝距弯管(不包括压制、热推或中频弯管)起弯点的距离不得小于 100mm,且不得小于管道外径;
  3) 卷管的纵向焊缝应置于易检修的位置,且不宜在底部;
  4) 环焊缝距支、吊架净距不应小于 50mm;
  5) 有加固环的卷管,加固环的对接焊缝应与管道纵向焊缝错开,其间距不应小于 100mm,加固环距管道的环焊缝不应小于 50mm;
  6) 当螺纹接头需要密封焊时,外露螺纹应全部密封。
 7 组对应符合下列规定:
  1) 不得对管道进行强行组对;
  2) 管道对接焊口组对时,内壁错边量不宜大于 2mm;
  3) 管道对口时(见图 11.2.2),应在距接口中心 200mm 处测量平直度,当管道公称直径小于 100mm 时,允许偏差

应为 $^{+1}_{\ 0}$mm;当管道公称直径大于或等于100mm时,允许偏差应为 $^{+2}_{\ 0}$mm。但全长允许偏差应为 $^{+10}_{\ \ 0}$mm。

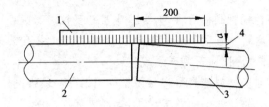

图 11.2.2 管道对口平直度
1—钢板尺;2—对口管路;3—基准管路;4—允许偏差

4)需预拉伸或预压缩的管道焊口组对时,所使用的工具应待整个焊口焊接及热处理完毕并经焊接检验合格后方可拆除。

Ⅲ 管 道 安 装

11.2.3 管道采用法兰连接时,应符合下列规定:

1 法兰与垫片应符合下列规定:

1)管道安装时,应检查法兰密封面及密封垫片,不应有影响密封性能的划痕、斑点等缺陷;

2)一对法兰密封面只允许使用一个垫片,当大直径垫片需要拼接时,应采用斜口搭接或迷宫式拼接,不得平口对接;

3)软垫片的周边应整齐,垫片尺寸应与法兰密封面相符,其允许偏差应符合表 11.2.3 的规定;

表 11.2.3 软垫片尺寸允许偏差(mm)

公称直径法兰密封面形式	平面型		凸凹形		榫槽形	
	内径	外径	内径	外径	内径	外径
<125	+2.5	-2.0	+2.0	-1.5	+1.0	-1.0
≥125	+3.5	-3.5	+3.0	-3.0	+1.5	-1.5

4) 法兰对接装配时,垫片应均匀地压缩到预定设计载荷,不得用强紧螺栓的方法消除歪斜;

5) 法兰连接应与管道同心,并应保证螺栓自由穿入。法兰间应保持平行,其偏差不得大于法兰外径的1.5%,且不得大于2mm。

2 连接螺栓应符合下列规定:

1) 连接螺栓应对称均匀紧固,螺栓紧固后应与法兰紧贴;

2) 管道的连接螺栓,应使用同一规格,安装方向应一致;需加垫圈时,每个螺栓不应超过一个,螺栓拧紧后,应露出2个~4个螺距;

3) 当管道安装遇到管道设计温度低于0℃、露天装置或处于大气腐蚀环境情况之一时,螺栓、螺母应涂以二硫化钼油脂、石墨机油或石墨粉。

11.2.4 管道采用螺纹连接,应符合下列规定:

1 进行密封焊的螺纹接头不得使用螺纹保护剂和密封材料;

2 螺纹接头密封材料宜选用聚四氟乙烯带,拧紧螺纹时不得将密封材料挤入管内;

3 直螺纹接头与主管焊接时,应防止密封面变形。

11.2.5 管道采用快速接头(卡箍式柔性接头与沟槽式接头)连接时,应符合下列规定:

1 管子装配时,密封面应洁净;

2 两管端之间应根据安装要求留有适当的间隙,以适应管子的膨胀和收缩;

3 密封圈的位置应调到适中位置,不得偏斜太大;

4 拧紧螺栓时,螺栓应均匀受力,并不得咬坏密封圈;

5 接头接好后,其转角不得大于2°,当需要接头转角时,应先按直线管道安装,然后再折转管道。

11.2.6 管道采用套管连接时,应符合下列规定:

1 套管壁厚不得小于主管道壁厚;

2 套管与主管的间隙不得大于 2mm；

3 焊缝焊脚尺寸不得小于主管的壁厚。

11.2.7 支、吊架安装应符合下列规定：

1 管道安装时，应及时固定和调整支、吊架。支、吊架位置应符合设计要求，并应平整牢固，与管道接触应紧密。

2 无热位移的管道，其吊杆应垂直安装，有热位移的管道，吊点应设在位移的相反方向，并应按位移值的 1/2 偏位安装，两根热位移方向相反或位移值不等的管道，不得使用同一吊杆。

3 固定支架应按设计文件要求安装，并应在补偿器预拉伸之前固定。

4 导向支架或滑动支架的滑动面应洁净平整，不得有歪斜和卡阻现象，其安装位置应从支承面中心向位移反方向偏移，偏移量应为位移值的 1/2 或符合设计文件规定，隔热层不得妨碍其位移。

5 弹簧支、吊架的弹簧高度，应按设计文件规定安装，弹簧应调整至冷态值，并应做记录，弹簧的临时固定件，应待系统安装、试压、隔热完毕后方可拆除。

6 支、吊架的焊接不得有漏焊、欠焊或焊接裂纹、夹渣、气泡等缺陷。

7 直径 $\phi 325$ 及以上的管道阀门，应设有专用支架，不得以管道做承重。

8 管架紧固在槽钢或工字钢翼板斜面上时，其螺栓应有相应的方斜垫片。

9 管道安装时不宜使用临时支、吊架，当使用临时支、吊架时，不得与正式支、吊架位置冲突，并应有明显标记，在管道安装完毕后应予拆除。

10 有热位移的管道运行时，应及时对支、吊架进行下列检查与调整：

　　1）活动支架的位移方向、位移值及导向性能应符合设计文件的规定；
  2）管托不得脱落；
  3）固定支架应牢固可靠；
  4）弹簧支、吊架的安装标高与弹簧工作荷载应符合设计文件的规定；
  5）可调支架的位置应调整合适。
11.2.8 补偿装置安装应符合下列规定：
  1 "Π"形或"Ω"形补偿装置安装应符合下列规定：
   1）应按设计文件规定进行预拉伸或压缩，其偏差不应大于技术文件的规定，并应按规定的格式填写"管道补偿装置安装记录"；
   2）水平安装时，平行臂应与管道坡度相同，两垂直臂应平行；
   3）铅垂安装时，排气装置应符合设计要求。
  2 填料式补偿器（见图11.2.8）安装，应符合下列规定：

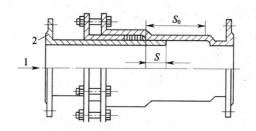

图 11.2.8 填料式补偿器安装
1—介质流向；2—插管；$S_0 - S$—最大伸长量

   1）应与管道保持同心，不得歪斜。
   2）导向支座应保证运行时自由伸缩，不得偏离中心。
   3）应按设计文件规定的安装长度及温度变化，留有剩余的收缩量，允许偏差应满足产品安装说明书的要求；剩余收缩量可按下式计算，其允许偏差应为±5mm：

$$S = S_0 \cdot \frac{t_1 - t_0}{t_2 - t_0} \qquad (11.2.8)$$

式中：S——插管安装剩余收缩量(mm)；

S_0——补偿器的最大行程(mm)；

T_0——室外最低设计温度(℃)；

t_1——补偿器安装时的温度(℃)；

t_2——介质的最高设计温度(℃)。

4）插管应安装在介质流入端。

5）填料应逐圈装入，逐圈压紧，各圈接口应相互错开。

11.2.9 管道敷设应符合下列规定：

1 井筒管道采用套管连接时，承插接口环形间隙应均匀；

2 所有连接螺栓应紧固可靠；

3 管道上仪表取源部件的开孔和焊接应在管道安装前进行；

4 管道上阀门的安装位置应符合设计，手柄、手轮朝向合理、便于操作；

5 管道安装的坡向、坡度应符合设计要求；

6 现场施工的焊缝，应进行二次防腐处理，焊缝质量、防腐质量应符合设计文件的规定；

7 管道安装的允许偏差应符合表11.2.9-1和表11.2.9-2的规定；

表11.2.9-1 井巷管道安装位置允许偏差(mm)

项次	项目		允许偏差
1	立井井筒管道位置		30
2	斜井井筒及巷道管道位置	与腰线垂距	±50
		与中心线水平距离	50
3	管卡、管架及管座的间距		300

表 11.2.9-2 地面管道安装的允许偏差(mm)

项 目			允许偏差
坐标	架空及地沟	室外	25
		室内	15
	埋地		60
标高	架空及地沟	室外	±20
		室内	±15
	埋地		±25
水平管道平直度		$DN\leqslant100$	2‰,最大 50
		$DN>100$	3‰,最大 80
立管垂直度			5‰,最大 30
成排管道间距			15
交叉管的外壁或隔热层间距			20

注:DN—管道公称直径。

8 埋地管道应在试压合格后进行回填,并应分层夯实;

9 管道与设备连接时,不得使设备承受管道的附加重量。

11.2.10 管道检查应符合下列规定:

1 管道的检查与检验,包括对管道组成件及管道支承件、管道加工件、坡口加工及组对、管道安装的检验,应贯穿全过程,并应符合本章第 11.2.2 条的有关规定;

2 除焊接作业指导书有特殊要求的焊缝外,应在焊完后立即清除渣皮、飞溅,并应将焊缝表面清理干净,进行外观检验;

3 管道防腐情况的检查,应符合本规范第 11.2.13 条的规定。

11.2.11 管道试验应符合下列规定:

1 管道试验前,应编制试验方案和安全措施;

2 供水管、洒水管应做灌水试验,灌水试验时间为 24h,应无渗漏;排水管应做排水试验,并应无渗漏和可见变形;

3 立井井筒部分的水管,应按 1.1 倍静压值做压力试验;压力试验时应缓慢升压，待达到试验压力后，稳压 10min，应无压降，管道所有部位应无渗漏；

　　4 管道试验，应以清水为试验介质。

11.2.12 供水、洒水管道的冲洗应符合下列规定：

　　1 供水、洒水管道在灌水试验合格后，对管道进行放水冲洗；

　　2 冲洗的顺序应按主管、支管依次进行，冲洗出的脏物，不得进入已合格的管道。

11.2.13 管道防腐蚀应符合下列规定：

　　1 管道防腐蚀施工应符合设计要求及相关标准的规定；

　　2 涂料应有制造厂的产品质量证明书；

　　3 管道安装后不易防腐的部位应预先防腐；

　　4 防腐蚀施工宜在 10℃～30℃的环境温度下进行，并应有相应的防火、防冻、防雨措施；

　　5 管道防腐次数及防腐层总厚度，应符合设计文件要求。

11.2.14 管道隔热应符合下列规定：

　　1 管道隔热应符合设计要求及相关标准的规定；

　　2 管道隔热工程的施工应在管道防腐蚀合格后进行，施工前，管道外表面应保持清洁干燥，冬、雨季施工应有防冻、防雨雪措施；

　　3 管道隔热工程所用材料的种类、规格、性能应符合设计文件的规定，并应有制造厂的产品质量证明书。

11.3 压缩空气管道安装

11.3.1 管道组成件及管道支承件的检验除应符合本规范第 11.2.1 条的规定外，还应符合下列规定：

　　1 输送工作压力小于或等于 1MPa 的压气管道的阀门，应从每批中抽查 10%，且不得少于 1 个进行壳体压力试验和密封试验，当不合格时，应加倍抽查，仍不合格时该批阀门不得使用。压力试验应使用洁净水。

2 气水分离器的检查与验收，应符合本规范第 3.0.6 条的规定。

　　3 气水分离器基础的验收，应符合本规范第 3.0.7 条的规定。

11.3.2 压缩空气管道制作应符合本规范第 11.2.2 条的规定。

11.3.3 压缩空气管道安装，除符合本规范第 11.2.3～11.2.9 条的有关规定外，还应符合下列规定：

　　1 压缩空气主管道应避免出现急转现象，其拐弯角度不应大于 90°；

　　2 水平铺设的主干管坡度应满足设计要求，设计无要求时，管道应有沿气体流向 2‰～3‰的坡度；

　　3 气水分离器安装应符合下列规定：

　　　　1）气水分离器安装所使用的垫铁应符合本规范附录 A 第 A.1 节的规定；

　　　　2）气水分离器的地脚螺栓，应符合本规范附录 A 第 A.2 节的规定；

　　　　3）气水分离器的基础灌浆，应符合本规范附录 A 第 A.3 节的规定；

　　　　4）管道与气水分离器的连接，不应使气水分离器承受管道的附加重量；

　　　　5）具有自动排污功能的气水分离器，其自动排污装置的调整应按气水分离器的技术文件要求进行。

11.3.4 管道检查和试验应符合下列规定：

　　1 压缩空气管道的检查应符合本规范第 11.2.10 条的规定；

　　2 管道试验，压缩空气管道按额定工作压力做送气试验，应无漏气。

11.3.5 管道的吹扫，压缩空气管道应用压缩空气吹扫，吹扫速度不宜大于 20m/s，吹扫压力宜为 0.3MPa～0.45MPa，吹扫方向应与正常工作时的介质流方向一致。

11.3.6 管道防腐,压缩空气管道的防腐应符合本规范第11.2.13条的规定。

11.4 瓦斯抽排管道安装

11.4.1 管道组成件及管道支承件的检验,应符合本规范第11.2.1条要求。

11.4.2 管道的加工制作除应执行本规范第11.2.2条的规定外,还应符合下列规定:
  1 筛管加工时,筛孔直径及布置应符合设计文件要求;
  2 钻孔内管道连接用的套管两端应设有外倒角。

11.4.3 管道的安装除应符合本规范第11.2.3条的要求外,还应符合下列规定:
  1 金属管道安装应符合下列规定:
  1）地面管道不得与其他管线敷设在同一条地沟内;
  2）地面瓦斯管道与其他管道、线路、建筑物等的距离应符合表11.4.3的规定;

表11.4.3 地面瓦斯管道的安全距离

名称	厂房（地基）	动力电缆	水管	热水管	铁路	电线杆
距离(m)	>5	>1	>1.5	>2	>4	>2

  3）瓦斯管道不得从地下穿过房屋或其他建(构)筑物,一般情况下也不得穿过其他管网,当必须穿过其他管网时,应采取隔离封闭措施;
  4）需接地的管道,应按设计要求设置接地体及接地母线;
  5）并排安装的管道,其最突出部位的间隙不应小于0.1m,管道的法兰或活接头,应相互错开0.3m以上;
  6）安装在倾斜巷道中的管道,应采取防止下滑措施。

  2 聚乙烯管道（以下简称PE管）连接与安装应符合下列规定:
  1）管道安装前,应对管件及附属设备进行外观检查,其外表质量、材质、耐压等应符合设计文件的要求；

2）管材切割时应使用专用割管器垂直切割,切口应平整,无毛刺、飞边；

3）PE管无论采用何种连接方式,连接施工前应将管口清理洁净；

4）PE管连接,应使用专用机具,不得使用明火加热管材和管件；

5）采用承插连接时,插入深度不应小于设计及产品技术文件的规定值；

6）采用熔接方式连接的管道,宜使用同种牌号材质的管材和管件,对于性能相似的应先进行试验,合格后方可进行；

7）电熔连接时,电压等级、通电时间应符合电熔焊机和电熔管件技术文件的要求,并应严格控制加热时间和加热温度,控制好熔接压力；

8）采用热熔对接时,PE管的翻边高度、加热时间、保压状态下的冷却时间及对接压力等,应符合产品技术文件的规定；

9）PE管与金属管道、阀门连接时,应采用钢塑过渡接头或专用法兰连接,并应符合本规范第11.2.3条有关规定；

10）在气温低于−5℃或大风环境条件下进行连接操作时,应采取保护措施或调整施工工艺；

11）熔接加热完毕,应在自然环境条件下对连接件进行冷却,直至温度低于50℃；在冷却期间不得对管材和管件施加外力。

3 钻孔内管道安装应符合下列规定：

1）下护孔管前,应根据钻孔的深度,计算出所需下管的长度,确保护孔管下放到位；

2）钻孔内管道采用套管或螺纹连接时,应保证管道的直线度不大于 1/1000；

3）护孔管及生产管外围应固孔，固孔质量应符合设计文件的要求；

4）采用套管连接的管道应在焊缝温度冷却至常温后再下放；

5）管接头采用螺纹连接时应采取密封措施；

6）管道下放前应清除管内杂物；

7）管道下放时不得强行加压下放。

11.4.4 管道附件安装应符合本规范第 10.4 节的有关规定。

11.4.5 管道检查应符合本规范第 11.2.4 条的规定。

11.4.6 金属管道试验应符合下列规定：

1 管道的所有阀门应进行壳体压力和严密性试验，不合格者不得使用；

2 以气体为介质进行压力试验，试验压力应为工作压力的 1.5 倍，且不得低于 0.2MPa；

3 管道应进行严密性试验，以空气为介质的严密性试验压力应为设计压力的 1.1 倍，严密性试验应重点检验阀门填料函、法兰或螺纹连接处、放空阀、排气阀、排水阀等，以发泡剂检验不泄漏为合格。

11.4.7 PE 管道试验应符合下列规定：

1 PE 管道压力试验，应按设计文件的要求进行，当设计文件无要求时，试验压力应为设计压力的 1.25 倍，当以气体为介质做压力试验时，试验压力不得低于 0.2MPa；

2 PE 管道的试验长度不宜大于 1000m。

11.4.8 瓦斯管道应采用干燥、洁净的压缩空气进行吹扫，吹扫压力不应大于管道设计内外压力之差。

11.4.9 管道防腐及隔热，应执行本规范第 11.2.6 条的规定。

11.5 注氮管道安装

11.5.1 注氮管道加工制作、安装、试验、吹扫、防腐及隔热等,除应符合本规范第11.3节的规定外,还应符合下列规定:

1 注氮管道宜用压缩空气吹扫,不宜用氮气吹扫;

2 当采用氮气吹扫时,应制定专门的安全措施,并应有专人负责;

3 采用氮气吹扫时,操作人员在开闭控制阀门时,应站在阀门的侧面,并应在吹扫过程中和吹扫结束后,在氮气与空气混合区域内的氧气含量小于18%时,不得有任何人员逗留和作业;

4 注氮管道安装完毕,表面应涂以黄色油漆。

12 井下采掘设备安装工程

12.1 一般规定

12.1.1 本章适用于煤矿井下液压支架、悬移顶梁液压支架、滑移顶梁液压支架、滚筒式采煤机、刨煤机、乳化液泵站、喷雾泵站以及掘进机、挖装机、破碎机、除铁器的安装。

12.1.2 为确保井下采掘设备拆卸、运输、安装期间的安全,以及采掘设备在试运转过程中的人身安全,确保设备的正常运转,应编制采掘设备拆卸、运输、组装和操作使用安全技术措施。

12.2 液压支架安装

12.2.1 液压支架安装前的准备工作应符合下列规定:

  1 解体运输时,同一支架各部件均应编号或做好标记,按顺序装车,各阀组、胶管等液压元件的进出口应封堵严密,小件应装箱运送;

  2 解体运输的液压支架,井下应设置组装硐室;

  3 使用刨煤机采煤的工作面液压支架,在支架进入工作面之前,应事先计算好锚固千斤顶的接口位置;

  4 支架安装应制定专门的安全技术措施,其内容应包括:支架运输超高、超宽、防倾倒措施,立井下放支架重心调整及配重,在倾角大于或等于16°的切眼中安装支架的防倒、防滑措施等。

12.2.2 液压支架安装应符合下列规定:

  1 应根据设计,确定好支架安装起始位置;

  2 安装时,应用回柱绞车或支架车将支架运送至安装位置;

  3 支架进入调向位置后应及时拆除影响支架调向定位的临

时支护,用回柱绞车等进行调向、对位;当底板较软,支架下应放置滑靴;

4 支架定位安装后,应接通液压管路,升起支架支撑顶板,应按产品技术文件的规定值进行支架的初撑力的调整;

5 液压支架安装时,宜同步进行链板输送机安装;

6 调整后的液压支架,其顶梁与煤层顶板之间应接触密实;

7 支架应垂直于煤壁和顶底板,间距均匀;

8 支架前后排列整齐,前立柱允许偏差应为±50mm;

9 全部支架安装完毕后,应对每台支架进行升降、移动检查、试验。

12.2.3 各部件应符合下列规定:

1 立柱和千斤顶应符合下列规定:

1)立柱、千斤顶与密封圈相配合的表面不得有明显划痕;

2)缸体和立柱不得弯曲变形;

3)立柱或油缸应动作灵活。

2 操作阀应灵活,定位准确,无内泄漏。

3 胶管及接头应符合下列规定:

1)油管连接应正确;

2)接头无严重锈蚀、变形、毛刺,应能顺利插入配合件,在无压工况下可自由旋转;

3)密封圈应完好无损;

4)胶管无折痕或明显的永久变形,内部应洁净,无渗漏;

5)胶管铺设应整齐,固定可靠。

4 安全阀压力调定应符合下列规定:

1)安全阀的最小启溢压力值不应低于额定压力的90%;

2)流量小于16L/min的安全阀,其最大启溢压力值不应大于额定压力的15%;

3)流量在16L/min~32L/min的安全阀,其最大启溢压力值不应大于额定压力的20%;

4）流量在32L/min～100L/min的安全阀,其最大启溢压力值不应大于额定压力的25%;

5）流量大于100L/min的安全阀,应按设计文件要求进行调整。

12.2.4 支架检查及试验应符合下列规定:

1 液压支架组装完毕后,支架检查应符合下列规定:

1）连接件应齐全;

2）胶管固定应可靠;

3）供液、供水应正常;

4）各种阀组应无串、漏液。

2 密封试验时,支架分别升降至极限位置150mm处,停止供液后各部位应无渗漏。

3 动作试验时,操作操纵阀,使立柱及各千斤顶全行程动作3次,动作试验应符合下列规定:

1）各部位动作应准确、灵活、平稳,无卡阻和异常声响;

2）一个操作阀控制两个以上立柱或千斤顶时,立柱或千斤顶动作应基本同步;

3）结构件动作应无卡阻现象。

12.3 悬移顶梁及滑移顶梁液压支架安装

12.3.1 悬移顶梁及滑移顶梁液压支架安装前的检查工作应符合下列基本规定:

1 支架入井前应在地面进行检查、组装和试验;

2 支架安装前,应对起吊工器具和设备进行检查;

3 支架在解体、运输、组装及安装过程中,不得使其结构件产生变形,支柱等液压件不得有碰伤,部件、支架支柱及液压管路在搬运前应用塑料盖封好注液口,包扎好注液接头,高压胶管内部及阀件应保持清洁;

4 在倾角大于或等于16°的切眼中安装液压支架,应采取防倒、防滑措施。

12.3.2 支架安装应符合下列规定：

1 为保证支架安装过程中的安全,上下出口及整个切眼应采用"Ⅱ"型钢栅进行临时支护；

2 支架安装宜采用起吊滑道,滑道的固定应牢固可靠,滑道应能安全承担顶梁重量；

3 安装时,用手拉葫芦应配合回柱绞车起吊支架顶梁；

4 顶梁起吊到位并连接好配件后,应立即安装支柱；

5 安装支柱时,应先中间后两边；底板松软时,支柱底部应使用大直径底座；

6 支柱片阀安装时,应先松动阀座上的螺丝,将片阀组合在一起,再将组合好的片阀装在支架的阀座上；

7 连接管路时,接头接口应洁净；

8 柱头绳连接、防倒链连接应牢固可靠；

9 安装过程中,顶梁安装与撤栅应交替进行；

10 支柱连接好后,应交替、缓慢升压,将顶梁贴紧顶板进行初支撑；

11 支架安装过程中,一架支架未安装完,中途不得停止作业；

12 挡矸板安装应在安装好第三架支架后进行；

13 安装过程中,顶梁安装与撤栅应交替进行；

14 支架定位后,应立即接通液压管路,升起支架,支撑顶板；

15 对需要在顶梁上铺网的采煤工作面,在支架安装过程中应边安装支架、边铺网；

16 调整后的支架,其顶梁与顶板之间应接触密实,悬空部位应用木楔楔实；

17 支架应垂直于煤壁和顶底板,间距均匀,其间距应在200mm±50mm范围内；

18 支架调整好后,全部支架的安装轴线应与切眼的中心线

一致,顶梁或立柱的前后允许偏差应为±50mm;

    19 全部支架安装完毕后,应对每台支架进行升降、移动检查、试验。

12.3.3 各部件应符合下列规定:

    1 支柱应符合下列规定:

      1)支柱的配合表面不得有明显划痕;

      2)缸体和立柱不得弯曲变形;

      3)立柱或油缸应动作灵活。

    2 操作阀应灵活,定位准确。

    3 胶管及接头应符合本规范第12.2.3条第3款的规定。

12.3.4 检查及动作试验应符合下列规定:

    1 支架组装完毕后,应符合下列规定:

      1)连接件应齐全;

      2)胶管固定应可靠;

      3)供液应正常;

      4)阀组不应漏液。

    2 动作试验及要求应符合下列规定:

      1)应操作操纵阀使支柱、前伸油缸、推进油缸全行程动作3次;

      2)各支架移动、升降应灵活、平稳,无卡阻和异常声响;

      3)伸缩梁应伸缩灵活,无卡阻;

      4)各液压件及其连接处应无渗漏。

12.4 滚筒式采煤机安装

12.4.1 滚筒式采煤机安装前的检查工作应符合下列基本规定:

    1 采煤机在入井前应进行地面试运转;

    2 应根据工作方向和机器安装顺序安排好各部件的装车和入井顺序。

12.4.2 有底托架采煤机安装应符合下列规定:

1 安装前,应将安装地点的支架用横梁加固。
2 各部件的运输顺序应满足现场安装需要。
3 应将底托架固定在刮板输送机上,并应固定牢靠。
4 在底托架上组装各部件,应安装定位块,连接好固定螺栓。
5 应将左、右截割部对接到牵引部和电动机上,并应用螺栓固定好。应连接调高调斜千斤顶、油管、水管,固定好电控箱、电缆卡等附属装置,再安装滚筒和挡煤板,连接好电源和水源,配齐滚筒截齿和喷嘴。
6 油箱及润滑部位注油,油质、油量应符合产品技术文件的规定。

12.4.3 无底托架采煤机安装应符合下列规定:
1 应将右(或左)截割部(不带滚筒和挡板)安装在刮板输送机上,并应用垫木将其垫牢,将滑行装置固定在刮板输送机导向上;
2 应将牵引部和电动机的组合件置于右截割部的左侧,用垫木垫好,用螺栓连接两大部件;
3 应用同样方法安装另一侧截割部,然后固定滑行装置;
4 应将两个滚筒分别固定在左右摇臂上,装上挡煤板,铺设牵引链,并应将牵引链接到工作面输送机机头和机尾的锚固装置上;
5 应将液压管路清理干净,与千斤顶及各部位接通;
6 应连接好供水管路;
7 应接通电源及控制、信号、通信系统。

12.4.4 采煤机安装应符合下列规定:
1 采煤机应密封良好,不渗油、不漏水。
2 整机零部件应齐全完整,各部连接螺栓应牢固,闭锁联动装置应灵敏可靠。
3 各操作手柄或按钮应灵活、可靠,或遥控装置遥控应准确。
4 各部位油质、油量应符合要求,无漏油现象。

5 在设计压力下,内外喷雾装置应可靠有效。
6 液压泵、液压马达固定应牢固、无渗漏。
7 胶管与阀应符合下列规定：
1）胶管连接应正确；
2）接头应无锈蚀、变形、毛刺；
3）密封应良好；
4）胶管应无折痕、压痕或明显的永久变形；内部应洁净,无渗漏；
5）电磁换向阀在液压系统额定压力下,换向与复位应迅速、灵活、可靠,无外泄漏和卡阻现象；
6）各种阀安装时,阀与胶管的连接应正确,不漏液。
8 牵引部安装应符合下列规定：
1）机壳内不得有任何杂物；
2）伺服机构调零应准确；
3）安装后应按规定注入经过滤的液油压,并应排净管路系统内的空气；
4）各种安全保护装置应齐全、灵敏、可靠,并应按规定值调定；
5）行走减速箱与机架的连接应牢固可靠；
6）以最大牵引速度正反向空负荷试运转,操作应灵活、运转应平稳、无异常响声和振动,各部位温升正常,所有油管接头和各接合面密封良好,无渗漏。
9 截割部安装应符合下列规定：
1）连接螺栓应采用力矩扳手紧固,并应达到规定的扭矩范围；
2）拆卸或装配无键过盈连接的齿轮与轴,应使用专用工具和采取特殊工艺；
3）截齿和喷嘴的固定应牢固、可靠；在额定压力下,内外喷雾装置喷雾应正常；

4）截割部应转动灵活；
　　5）截割电机限矩器应准确。
　10　装运机构的安装应符合下列规定：
　　1）操作手把应灵活、可靠；
　　2）装煤爪转动应灵活；
　　3）刮板不弯曲，刮板链的偏转应正常，其偏转度应为50mm～100mm之间；
　　4）主输送机和尾部输送机之间应对平，中板的装煤表面应与尾端相互齐平；
　　5）装载部回转机构应灵活，无卡阻现象。
　11　液压系统安装应符合下列规定：
　　1）所有液压部分应密封良好，无渗漏；
　　2）高压胶管、阀件安装应符合本规范第12.2.3条的有关规定；
　　3）按系统原理图要求，应将系统中各回路的溢流阀调至设计要求值；
　　4）液压油的型号、数量应符合产品技术文件的要求。
12.4.5　采煤机试运转前应进行下列检查：
　1　零部件应完整，连接件应牢固，操作件应灵活可靠；
　2　盘动滚筒应无卡阻现象；
　3　链牵引采煤机的牵引锚链应固定正确，无拧劲；
　4　信号及通信系统应正常可靠；
　5　在额定压力下，采煤机的内外喷雾应正常。
12.4.6　采煤机试运转时间应符合下列规定：
　1　轻载跑合试验：每台截割部都应进行轻载（额定功率的25%）跑合，跑合时间不应少于2h，跑合后放油、清洗油池并更换新油；
　2　加载试验：进行2.5h的连续加载试验，其中按额定载荷的50%试运转1h，按额定载荷的75%试运转1h，按额定载荷试运转

0.5h。

12.4.7 采煤机试运转应符合下列规定：

 1 采煤机运行应平稳；

 2 采煤机运行时，牵引部、截割部、装运部等声响、振动及温升应正常；

 3 摇臂升降应灵活；

 4 装煤台的升降、回转动作应平稳、可靠；

 5 应无漏油、漏水现象；

 6 紧固件不应松动；

 7 各仪表指示应正常。

12.5 刨煤机安装

12.5.1 刨煤机入井前应在地面组装试运转。

12.5.2 设备入井前，应对设备进行编号处理，并应有专人负责。

12.5.3 刨煤机安装应符合下列规定：

 1 锚固千斤顶安装应符合下列规定：

  1）采煤工作面设备安装之前，应根据工作面的坡度、底板硬度等情况，先确定好锚固千斤顶的安装位置；

  2）工作面坡度变化较小时，可不安装锚固千斤顶，但特殊支架应照常安装，以适应特殊的工作环境。

 2 运输机安装完毕后，应安装刨煤机的刨头、刨链。刨头、刨链安装应符合下列规定：

  1）安装刨链时，应打开刨链盒，先引底刨链；

  2）引底刨链时，应通过引链器用回柱绞牵引链；

  3）底链安装完后要进行验链，刨链不得错位、扭劲，并应使刨煤机连接活环全部呈立环布置；

  4）应用专用工具在运输机的机头、机尾将底刨链固定好；

  5）应铺设上刨链，用回柱绞车将刨链拉直，并验链；

  6）在运输机机尾处应做好标记，将刨链卡好；

7）为防止由于工作面起伏不平，造成刨链上翘而盖不上刨链盒，除运输机机尾需要二次延板的部分外，已安装完毕的部分应先盖好刨链盒；

8）运输机机尾延板结束后应进行刨头的安装，刨头安装时应先卸下两块与机尾曲板相邻的特殊溜槽的刨链盒和部分上下刨链，将刨头引入运输机上的刨头导轨；

9）应接好刨头两端的底链，补接延板所需的刨链，盖好刨链盒；

10）刨头与刨链连接完毕后应进行紧链，紧链时任何人不得靠近紧链叉或紧链钩；

11）应将减速机与运输机对接好，并应将液力偶合器、电动机、减速机连接好，连接螺栓应采用力矩扳手紧固，并应达到规定的扭矩范围；

12）应安装好刨煤机的控制系统及喷雾装置。

12.5.4 刨煤机的检查与试运转，除应执行本规范第12.4.5条外，并应符合下列规定：

1 刨链应无错位，松紧应满足使用要求；

2 液力偶合器的易熔塞应完好。

12.6 乳化液泵站与喷雾泵站安装

12.6.1 固定式乳化液泵和喷雾泵站应安装在基础上，安装前应根据设计图纸对基础检查验收，并应符合本规范第3.0.7条的规定。

12.6.2 设备安装前应对设备及其零部件进行检查验收，并应符合本规范第3.0.6条的规定。

12.6.3 泵站电气设备应严格按有关工艺标准和防爆要求施工，并应对设备外壳进行可靠接地。

12.6.4 泵站安装应符合下列规定：

1 有基础安装应符合下列规定：

  1）乳化液泵站或喷雾泵站采用基础固定时，其基础螺栓及灌浆应符合本规范附录 A 第 A.2 节和第 A.3 节的规定；

  2）乳化液泵或喷雾泵站采用基础固定时，泵站应水平，其水平度不应大于 1/1000；乳化液箱或水箱位置应高于泵体 100mm 以上；

  3）安装地点顶板应支护完好，杜绝空邦、空顶现象。

 2 无基础安装应符合下列规定：

  1）泵站安装在平板车上时，乳化液箱或水箱下应垫高 100mm，平板车要用卡道器与其下的轨道卡固可靠，或用其他方法将平板车固定牢固；

  2）用于放置泵站的平板车之间，应用三环链和不脱钩的销子连接。

 3 胶管应符合下列规定：

  1）高、低压软管长度应合适，排列整齐、合理，不扭结，密封良好，供回液畅通；

  2）胶管采用快速接头连接时应使用合格的 U 型卡；采用螺纹连接时胶管应连接紧固，无变形、不漏液；

  3）泵站至工作面的高压胶管应悬挂整齐。

 4 附件应符合下列规定：

  1）截止阀、安全阀、压力传感器、过滤器、蓄能器、液压保护、压力表、控制按钮等应齐全完好；

  2）压力传感器应安装在泵站出口侧；

  3）安全阀应按规定调整其压力，应动作灵敏、可靠；

  4）卸载阀应按规定值自动卸载，动作灵敏、准确、可靠；

  5）蓄能器应按规定压力充气，气囊不泄漏。

 5 配液应符合下列规定：

  1）泵站供水应为洁净水；

  2）乳化液箱或水箱加液或加水前，应对箱内进行清洗；

3）乳化液泵站自动配液系统应精确可靠；
　　4）乳化液配制,应符合产品技术文件的要求。

12.6.5 试运转前的准备工作应符合下列规定：
　1 各部连接螺栓应齐全、牢固；
　2 泵站水量供应应充足、不间断；
　3 乳化液泵站乳化液浓度应符合要求；
　4 对运行压力应进行预设定,规定高压卸荷及低压起运值。

12.6.6 乳化液泵和喷雾泵站试运转应符合下列规定：
　1 泵启动应平稳,柱塞、滑块密封性能良好,无异常声响和振动；
　2 仪表指示应正常,卸载阀、安全阀的开启和关闭压力应符合规定；
　3 高压胶管应无明显振动和脉动现象,不漏液；
　4 乳化液泵站乳化液温度应保持在10℃～50℃之间,柱塞温度不应高于乳化液温度20℃；
　5 曲轴箱的温度不得大于70℃,齿轮箱的温度不得大于75℃；泵的各部温升不得大于40℃,最高温度不得大于75℃；
　6 试运行时间：空载运行不得少于0.5h,负载运行不得少于3h。

12.7　掘进机、连采机、挖装机安装

12.7.1 设备在地面解体时,各胶管应做标记或编号,要封堵好管口。

12.7.2 各部件的装车和入井顺序应根据机器安装顺序进行安排。

12.7.3 设备在组装过程中,所有结合面应洁净。

12.7.4 设备安装应符合下列规定：
　1 本体及行走部安装应符合下列规定：
　　1）安装时,应先用道木将本体垫起合适的高度；

2）将行走部与本体连接，连接螺栓紧固力矩应符合产品技术文件的要求。
 2　后支承部安装应符合下列规定：
  1）应将后支承部组装好，并收缩到最小状态；
  2）后支承部与本体连接时，连接螺栓紧固力矩应符合产品技术文件的要求。
 3　铲板部安装应符合下列规定：
  1）应将铲板部吊起，用销轴将铲板部与本体连接好，压好挡板；
  2）安装时，销轴和销轴孔应按技术文件的规定加注润滑脂。
 4　转载机安装应符合下列规定：
  1）应组装转载机机架，要求扣件齐全、紧固；
  2）链条不得错位和扭劲，松紧适度；
  3）转载机与本体连接应牢固可靠。
 5　截割部或装载部安装应符合下列规定：
  1）应将截割部或装载部吊起，用销轴将截割部或装载部与回转台连接好，压好挡板；
  2）挖装机挖装部安装前，应先将小臂、大臂、动臂组装好，再将其吊起，用销轴与回转台连接好，挖斗安装可在试运行前，利用自身液压系统，通过控制大小臂和动臂来完成；
  3）应安装截割部或装载部的工作油缸，连接油管；
  4）安装时，销轴和销轴孔应按技术文件的规定加注润滑脂。
 6　管路连接应符合下列规定：
  1）液压系统各高压胶管的配接，应按解体时的标记或编号进行连接；
  2）胶管的管口及设备上管接口应洁净；
  3）胶管应排列整齐，固定应牢靠。
 7　设备安装完毕，各润滑部位应按产品技术文件规定加注润滑剂，油箱加油，冷却系统注水。

12.7.5 掘进机、连采机、挖装机安装应符合下列规定：
   1 各紧固件应齐全，连接应牢固。
   2 履带松紧度应符合产品技术文件的要求。
   3 装运机构应符合下列规定：
     1）装载机构转动应灵活、平稳；
     2）转载机链条松紧度应符合产品技术文件的要求。
   4 回转机构的回转及升降应平稳，无阻滞。
   5 截割部的截割臂或挖装部的大小臂、动臂应伸缩灵活，伸缩距离应符合产品技术文件的要求。
   6 液压部分应密封良好，不渗漏，液压油应符合产品技术文件的要求。

12.7.6 试运转前应进行下列检查：
   1 螺栓及连接件应齐全、紧固；
   2 转载机链条及行走部履带松紧度应适中；
   3 油位、油质应符合要求；
   4 液压系统工作压力应符合要求，并应无渗漏；
   5 供水系统水量应充足，内外喷雾应正常；
   6 通信及信号应可靠。

12.7.7 掘进机、连采机空负荷载试运转应符合下列规定：
   1 将悬臂置于中间和上下极限位置，运转时间不应少于10min，电动机、减速机运行应平稳；
   2 将悬臂置于水平位置，从一侧极端到另一极端摆动3次，全行程所用时间的计算平均值应符合产品技术文件规定；
   3 将铲板置于上、中、下三个位置，做正反运转，每次不应少于5min，无卡阻；
   4 装载、回转和输送应分别在中间、左侧和右侧极限位置，每个位置运转时间不应少于5min，各部应转动灵活；
   5 行走机构前进、后退速度应符合产品技术文件的要求；
   6 各换向阀手柄置中间位置，液压系统应空转30min，操作

各手柄,每项动作不应少于10次,运转应正常;

  7 应启动喷雾系统,旋转截割头,喷雾效果良好。

12.7.8 挖装机空负荷载试运转应符合下列要求:

  1 将工作机构置于中间和上下极限位置,运转时间不应少于10min,机器运行应平稳;

  2 将工作机构置于水平位置,从一侧极端到另一极端摆动3次,全行程所用时间的计算平均值应符合产品技术文件的要求;

  3 将铲板置于上、中、下三个位置,做正反运转,每次不应少于5min,无卡阻;

  4 装载、回转和输送分别在中间、左侧和右侧极限位置,每个位置运转时间不应少于5min,各部应转动灵活;

  5 行走机构前进、后退速度应符合产品技术文件的要求;

  6 各换向阀手柄置中间位置,液压系统空转30min,操作各手柄,每项动作不应少于10次,运转应正常。

12.7.9 掘进机、连采机、挖装机负荷载试运转应符合下列规定:

  1 负荷载试运转时间不应少于30min;

  2 电气及液压系统应运行正常,各连接部位应无松动,液压和供水系统不渗漏;

  3 机械部分运行平稳,无异常振动和声响,各部温升应正常;

  4 在正常截割或正常挖装情况下,转载机应能满足运输要求;

  5 各仪表指示应正常。

12.8 破碎机安装

12.8.1 设备及设备基础的检查验收,应分别符合本规范第3.0.6条和第3.0.7条的规定。

12.8.2 出厂时已装配、调整完善并且在防锈保证期内的部件不可拆卸、清洗。

12.8.3 设备安装所用垫铁及其布置、基础螺栓及基础灌浆,应分别符合本规范附录A第A.1~A.3节的规定。

12.8.4 反击式破碎机安装应符合下列规定：

1 反击式破碎机板锤重量差不应超过 0.5kg。将板锤安装在转子上后,要做静平衡试验,转子转动停止时,在任何位置上都不应退回 1/10 圆周。

2 皮带轮安装应符合本规范附录 A 第 A.5 节的规定。

3 上下机体紧固件应齐全、连接紧密,不得有漏灰、漏风现象。

4 反击式破碎机安装的允许偏差应符合表 12.8.4 的规定。

表 12.8.4 反击式破碎机安装的允许偏差

项次	项目	允许偏差
1	纵、横向位置偏差(mm)	≤10
2	高度偏差(mm)	±15
3	下机体横向不水平度	≤0.1/1000
4	下机体纵向不水平度	≤0.2/1000
5	转子轴不水平度	≤0.1/1000
6	锤头与篦子间隙(mm)	≤2
7	转子工作圆与反击板间隙	符合产品技术文件规定

12.8.5 锤式破碎机安装应符合下列规定：

1 锤式破碎机安装程序顺序应为：下机体、基础灌浆、转子、内部间隙调整、上机体、(液压启盖装置)、传动装置安装等；

2 减速机安装应符合本规范附录 A 第 A.6 节的规定；

3 联轴器安装应符合本规范附录 A 第 A.7 节的规定；

4 皮带轮安装应符合本规范附录 A 第 A.5 节的规定；

5 上下机体紧固件齐全、连接紧密,不得有漏灰、漏风现象；

6 液压站及传动装置安装除应符合本规范第 13.7.2 条的规定外,还应对各油管进行酸洗,油管配置应平滑、美观,油缸的缸体及活塞表面无划痕和变形；

7 锤式破碎机安装的允许偏差应符合表 12.8.5 的规定。

表 12.8.5 锤式破碎机安装的允许偏差

项次	项 目	允 许 偏 差
1	纵、横向位置偏差(mm)	≤10
2	高度偏差(mm)	±20
3	下机体上法兰面纵向不水平度	≤0.15/1000
4	下机体上法兰面横向不水平度	≤0.1/1000
5	转子轴不水平度	≤0.1/1000
6	主、从给料辊不水平度	≤0.2/1000
7	锤头工作圆与篦子工作面间隙(mm)	25～30
8	篦床两侧与下机体间隙(mm)	≤出料粒度
9	保险门与主动给料辊间隙(mm)	≤出料粒度
10	保险门与篦板床间隙(mm)	≤出料粒度

12.8.6 颚式破碎机安装应符合下列规定：

1 颚式破碎机安装的顺序应为：机体、基础灌浆、主轴连杆、动颚、推力板及锁紧装置、电动机、泵站及管路等；

2 应清除机体各结合面的油污；

3 齿板与动颚板接触应均匀，楔板与齿板及动颚板、滑块与动颚板的装配应紧密；

4 衬板与机体壁接触应均匀，不应有翘曲和悬空现象；

5 固定齿板就位后，齿板背面的凸台与机体前壁接触应均匀；

6 连杆与主轴、主轴与主轴承装配时，应对轴瓦进行刮研，轴颈与轴瓦配合应符合本规范附录 A 第 A.9 节的规定；

7 推力板安装时，应先安装后推力板，后安装前推力板，并应检查推力板的轴头支承滑块间的接触情况；

8 皮带轮组装应符合本规范附录 A 第 A.5 节的规定；

9 润滑及液压系统除应符合本规范第 13.7.2 条的规定外，还应对各油管进行酸洗，油管配置应平滑、美观，油缸的缸体及活塞表面无划痕和变形；

10 颚式破碎机安装的允许偏差应符合表 12.8.6 的规定。

表 12.8.6 颚式破碎机安装的允许偏差

项次	项 目	允 许 偏 差
1	纵、横向位置偏差(mm)	≤10
2	高度偏差(mm)	±20
3	主轴的纵向不水平度	≤0.5/1000
4	主轴的横向不水平度	≤0.1/1000
5	齿板与动颚板接触面积	≥50%
6	滑块与动颚板间隙(mm)	≤0.05
7	推力板轴头支承滑块间接触长度	≥60%全长

12.8.7 双齿辊式破碎机安装应符合下列规定：

1 双齿辊式破碎机安装的顺序应为：(轨道)、机座、下机体、齿辊找正、上机体、传动装置、液压、润滑系统等；

2 有轨双齿辊破碎机安装时，应将双齿辊破碎机底盘安装在轨道上，滚轮与轨道面接触应良好，并应按产品技术文件要求连接破碎机机体与底盘；

3 有轨双齿辊破碎机轨道安装的允许偏差应符合表 12.8.7-1 的规定；

表 12.8.7-1 轨道安装的允许偏差

项次	项 目	允 许 偏 差
1	轨道纵中心线(mm)	≤10
2	轨道横中心线(mm)	≤20
3	轨面标高(mm)	±20
4	轨面前后高低(mm)	≤10
5	轨距(mm)	-2~5
6	钢轨直线度	1/1000
7	钢轨全长度弯曲(mm)	≤5

4 无轨双齿辊破碎机安装时,先对下机体(底盘)进行操平找正,然后将上机体与下机体连接;

5 衬板与机体壁接触应均匀,不翘曲、无悬空;

6 皮带轮组装应符合本规范附录 A 第 A.5 节的规定;

7 液力联轴器安装应符合本规范附录 A 第 A.7.11 条的规定;

8 液压站及传动系统、润滑系统安装除应符合本规范第 13.7.2 条和第 13.9.2 条的规定外,还应对各油管进行酸洗,油管配置应平滑、美观,油缸的缸体及活塞表面无划痕和变形;

9 双齿辊破碎机安装的允许偏差应符合表 12.8.7-2 规定。

表 12.8.7-2 双齿辊破碎机安装的允许偏差

项次	项　　目	允许偏差
1	纵向中心线(mm)	≤10
2	横向中心线(mm)	≤10
3	高度偏差(mm)	±20
4	齿辊不水平度	≤0.15/1000
5	两辊轴线不平行度	≤0.2/1000

12.8.8 试运转前应进行下列检查:

1 各部连接件应齐全、紧固;

2 有轨双齿辊破碎机固定使用时,卡轨器应卡紧牢固;

3 安全防护装置应良好;

4 电气及接地系统应按规定安装调试完毕,电动机的旋转方向应符合要求;

5 液压系统、润滑系统的油位、油质应符合要求,并应按产品技术文件的规定进行调试;

6 手动盘车应无卡阻现象。

12.8.9 破碎机试运转应符合下列规定:

1 空负荷试运转时间不应小于 0.5h,负荷试运转时间不应小于 4h;

2 各部连接无松动,设备运行应平稳,无异常振动,无周期性和明显的冲击、撞击声;

　　3 颚式破碎机所有摩擦部件不应有掉屑现象,反击式破碎机、锤式破碎机和双齿辊式破碎机的锤或齿无破损现象;

　　4 各部温度及温升应正常,并应符合本规范第3.0.12条的规定;

　　5 破碎机生产能力和产品粒度应符合设计规定;

　　6 颚式破碎机调整座与机架耳座间应无明显窜动;

　　7 液压、润滑或冷却系统应无渗漏;

　　8 各仪表指示应正常。

12.9 除铁器安装

12.9.1 除铁器安装前的检查与验收应符合本规范第3.0.6条的规定。

12.9.2 除铁器安装应符合下列规定:

　　1 吊挂装置安装应牢固可靠,不得有裂纹等缺陷;

　　2 除铁器的安装位置应符合设计要求,其位置允许偏差应为$^{+20}_{0}$mm,高度允许偏差应为±5mm。

　　3 倾斜安装的除铁器,倾斜角度应符合设计要求,其偏差不得大于0.5°。

　　4 带式除铁器的纵向轴线应与运输机轴线一致,其允许偏差应为±2mm;输送带应松紧适度。

　　5 带行走机构除铁器的安装应符合下列规定:

　　　　1)行走机构构件应齐全;

　　　　2)轨道的轴线方向应符合设计要求;

　　　　3)轨道的紧固件应齐全,固定应牢固可靠。

　　6 电磁式除铁器应可靠接地。

　　7 防爆式除铁器应符合防爆工艺要求。

12.9.3 永磁式除铁器运转试验应符合下列规定:

1 空负荷试运转试验应符合下列规定：
  1）自动除铁器的各运转部位应转动灵活，设备运行应平稳，各密封处应无渗漏；
  2）手摇式除铁器在额定悬挂高度反复进行吸铁、卸铁试验不应少于3次，卸铁摇把应转动灵活，无卡阻现象；
  3）翻板式除铁器在额定悬挂高度反复进行吸铁、卸铁试验不应少于3次，翻板翻动灵活，行程开关动作可靠，应能保证在卸铁时磁系翻转约为90°；
  4）除铁器试验时，应用M36×120螺栓作试样。
2 负荷运转试验应符合下列规定：
  1）负荷运转时间不应少于2h；
  2）带式除铁器运行应平稳，皮带不打滑，无异常振动，轴承温度及温升正常，并应符合本规范第3.0.12条的规定；
  3）在试验过程中，除铁器运行的声音应正常，且不应大于85(dB)；
  4）除铁器的吸铁能力应符合产品技术文件的要求；
  5）除铁器卸铁应干净，并应符合产品技术文件的要求。

12.9.4 电磁式除铁器运转试验应符合下列规定：
  1 电磁式除铁器空负荷试运转试验，除应满足永磁式除铁器空负荷试运转试验要求外，还应在空负荷试运转试验前，对其绝缘进行检查，其在冷态下的绝缘电阻值不应低于10MΩ；
  2 电磁式除铁器负荷运转试验，除应满足永磁式除铁器负荷运转试验要求外，还应符合下列规定：
    1）各运转部位转动应灵活，减速机运转应平稳、不渗油，环境温度为25℃时温升不应大于40℃；
    2）绕组的温度不应大于产品技术文件的要求；
    3）油冷式除铁器的箱体不应渗油；热管冷却式除铁器的热管不泄漏，两端温差不应大于1.5℃。

13 矿井其他机械设备安装工程

13.1 无极绳绞车、凿井绞车及其他各类小型绞车安装

13.1.1 本节适用于无极绳、凿井、耙矿、气动、风门、回柱、调度绞车安装。

13.1.2 设备安装前的检查,除应符合本规范第3.0.6条的基本规定外,还应符合下列要求:

1 应按装箱清单核对设备型号、规格及附件数量;

2 设备的外形应规则,圆弧形表面应平整无明显偏差,结构应完整,焊缝应饱满,无缺损和孔洞;

3 金属设备的外表面的色调应一致,且无明显划伤、锈斑、伤痕、气泡和剥落现象。

13.1.3 垫铁规格及布置应符合本规范附录A第A.1节的规定。

13.1.4 基础螺栓及基础灌浆应符合本规范附录A第A.2节和第A.3节的规定。

13.1.5 绞车安装应符合下列规定:

1 设备安装前,应在基础上标定设备安装十字中心线、标高线、地脚螺栓孔的中心线,并应做好标记;

2 设备搬运、吊装绳索不得捆缚在电机壳及联轴器上,绳索的捆缚不得划伤设备防腐表面;

3 设备安装过程中,应对轴承润滑部位进行检查、清洗,并应按设备技术文件要求进行注油;

4 凿井绞车安装应对减速器内部进行检查或清洗,并不应有任何污物,减速器内所加润滑油的型号和数量应符合设备技术文件的规定;

5 联轴器的端面间隙、同轴度应符合本规范附录A第A.7

节的规定；

    6 绞车的位置偏差应为±10mm，标高偏差应为±10mm；

    7 带有基础的绞车，其安装纵向不水平度不应大于1/1000，横向不水平度不应大于0.5/1000；

    8 制动闸应按产品技术文件的规定进行调整，并应满足安全使用要求；

    9 无极绳绞车安装应符合下列规定：

        1）张紧装置的活动滑轮移动应灵活，不卡轮轴，不歪斜；支架应无开焊、变形，固定牢固可靠；

        2）小车式张紧装置的行走轨道与绞车提升纵向中心线应重合，其允许偏差应为±4mm；

        3）托绳轮、压绳轮、导向轮应不脱绳，转动灵活，固定可靠；

        4）提升钢丝绳接头应采用插接法，钢丝绳接头的插接长度不得小于钢丝绳直径的1000倍，插接处钢丝绳直径不得大于原钢丝绳直径的1.15倍。

13.1.6 试运转前应做好下列工作：

    1 对各运转部位进行注油，润滑油剂的型号、数量应符合设备技术文件的规定；

    2 应再次拧紧地脚螺栓并检查各部件连接螺栓、齿轮、键、焊缝等情况，确认良好后方可进行试运转；

    3 检查工作制动和安全制动应操作灵活、可靠。

13.1.7 试运转时间应符合表13.1.7的规定。

表13.1.7 无极绳绞车、凿井绞车及其他各类小型绞车试运转时间

绞车类别	空负荷试运转时间（min）	负荷试运转时间（min）	试运转要求
无极绳绞车	≥30	≥240	夹钳式绞车，夹钳动作应灵活，无阻滞现象
凿井绞车	≥30	—	—
其他绞车	≥30	—	正反转均不少于15min

13.1.8 试运转应符合下列规定：

1 绞车各运转部位的温度、温升应符合本规范第 3.0.12 条的规定；

2 各运转部位应无异常声响，各紧固件应无松动；

3 凿井绞车减速器齿轮的啮合情况应正常，无异常声响。

13.2 翻车机安装

13.2.1 设备基础垫铁、基础螺栓及二次灌浆应符合本规范附录 A 第 A.1～A.3 节的规定；减速器及联轴器安装应符合本规范附录 A 第 A.6 节和第 A.7 节的规定。

13.2.2 机体安装应符合下列规定：

1 设备安装前，应在基础上标定设备安装十字中心线、标高线及地脚螺栓孔的中心线，并应做好标记，基础的标高、地脚螺栓孔位置应符合设计要求；

2 设备搬运、吊装绳索、手拉葫芦等起重用具使用前应由专人检查，钢丝绳索的安全系数不得小于 6 倍；

3 设备安装过程中，应对传动部位轴承润滑部位进行检查、清洗，并应按设备技术文件的规定进行注油；

4 溜槽、托轮组与底架密封连接应紧固、牢靠；

5 翻车机安装应符合下列规定：

1) 机体纵向中心线应与设计中心线重合度不应大于 5mm；

2) 轨面标高的允许偏差应为 ±5mm；

3) 主动轴和从动轮轴的水平度不应大于 0.25/1000，且倾斜方向一致；

4) 主、从动轴的水平间距偏差应为 $^{+2}_{0}$mm；

5) 翻车机轨面与进车端轨面应平滑无阻滞，接头处轨面的高低差和内侧距不应大于 2mm；轨道接头间隙不应大于 7mm。

13.2.3 试运转应符合下列规定：

1 试运转前应做好下列工作：
　　1）对各运转部位进行注油，润滑油剂的型号、数量应符合设备技术文件的规定；
　　2）应再次拧紧底座地脚螺栓并检查各部件连接螺栓、焊缝等情况，确认良好后方可进行试运转；
　　3）基础灌浆应符合本规范附录 A 第 A.3 节的规定，混凝土强度应达到设计强度的 80%。

2 翻车机空负荷试运转不得少于 2h，负荷试运转不得少于 4h。

3 试运转时操作机构的闭锁装置应灵活、正确、可靠；机体无明显跳动，制动闸的制动时间应一致；制动时大滚圈与主动拖轮间隙应符合设备技术文件的规定，设备技术文件无规定时其间隙应为 1mm～3mm。

4 运转过程中各运转部位应无异常声响，各紧固件应无松动。

13.3 排矸设备安装

13.3.1 设备安装前的检查，除应符合本规范第 3.0.6 条规定外，还应符合下列规定：

　　1 应对导向轮、托绳轮、压绳轮、托辊、开闭器等设备规格、附件数量、尺寸进行检查，并应符合设计和设备技术文件的要求；

　　2 轨道及配件规格和质量应符合设计要求；

　　3 卸矸架的外形应规则、平直，结构应完整，焊缝应饱满、平滑，无裂纹、夹渣。

13.3.2 卸矸架安装应符合下列规定：

　　1 卸矸架安装过程中，应对导绳轮、压绳轮、托绳轮等传动部位、轴承润滑部位进行检查、清洗、注油，润滑剂的规格应符合设备技术文件的规定；

2 卸矸架安装前,在设计安装位置标定机架纵向中心线,并应与轨道中心线及提升绞车纵向中心线进行校核;卸矸架安装纵向中心线与设计中心线重合度应为 $^{+10}_{0}$ mm;

3 卸矸架的螺栓连接应牢固、可靠,并应符合本规范附录A第A.2节的规定;

4 卸矸架与矸石山轨道的搭接应平滑、无阻滞,接头内错距不得大于2mm,轨道接头间隙不应大于7mm;

5 液压卸矸架安装应符合下列规定:

　1)卸矸架安装前,应清理内外杂物和污物,并应保持清洁;密封、液压管道应清洗洁净保持畅通,接头无锈蚀、变形、毛刺;

　2)油缸密封应良好,活塞动作应灵活,无渗漏;

　3)液压油应符合设备技术文件的规定;

　4)管路连接应可靠、密封良好,外表无伤痕,无折叠、扭曲,排列整齐;

　5)液压操作机构动作应灵活,固定牢靠。

13.3.3 试运转前应做好下列工作:

1 对各运转部位进行注油,润滑剂的型号、数量应符合设备技术文件的规定;

2 应检查各部件连接螺栓、焊缝等情况,确认良好;

3 导向轮、托绳轮、压绳轮、托辊转动应灵活;

4 开闭器伸缩应灵活、可靠;

5 行程开关安装应正确,动作灵活、可靠;

6 提升绞车空负荷试运转完成。

13.3.4 排矸设备试运转应符合下列规定:

1 试运转不得少于20车次;

2 各运转部位应无异常声响,各紧固件应无松动;

3 托绳轮、导向轮、托辊不应脱绳,应转动灵活,固定可靠;

4 液压卸矸架移动过程中推移应平稳,液压操作机构动作应灵敏、准确、可靠,控制阀、管路、接头无泄漏现象。

13.4 卸载站安装

13.4.1 卸载站安装选用垫铁及布置、二次灌浆应符合本规范附录A第A.1节和第A.3节的规定;连接螺栓应符合本规范附录A第A.2节的规定,并应有防松动措施。

13.4.2 卸载站安装应符合下列规定:

  1 设备就位前应标定设备安装十字中心线、标高线及地脚螺栓孔的中心线,并应做好标记,基础的标高、地脚螺栓孔位置应符合设计要求。

  2 卸载站安装前,应对托轮轴承润滑部位进行检查,并应按设备技术文件的规定进行注油。

  3 卸载曲轨及复位曲轨接头的安装应符合下列规定:
   1)轨道曲轨中心线与轨道中心线安装允许偏差应为±3mm;
   2)复位曲轨接头采用连接板连接的应焊接牢固,螺栓连接时应将螺栓头定位焊接;
   3)轨道接头的高低差和内错距均不应大于$^{+2}_{0}$mm,接头间隙不应大于3mm。

  4 托轮组安装应符合下列规定:
   1)支撑托轮的倾角应符合设计要求;
   2)托轮组高度一致,转动灵活,托轮安装尺寸允许偏差应符合表13.4.2的规定。

表13.4.2 托轮安装尺寸允许偏差(mm)

项次	项 目	允 许 偏 差
1	托轮轮距	+3 0
2	托轮间距	±5
3	托轮顶点至轨面距离	+3 0
4	左右对称的托轮对标高相对高差	1
5	其他各标高	±3

13.4.3 试运转前应做好下列工作：

1 对各运转部位进行注油，润滑剂的型号应符合设备技术文件的规定；

2 各部件螺栓连接应牢固可靠；

3 托轮支架安装应可靠，托轮应转动灵活；

4 对卸载曲轨应进行复核。

13.4.4 卸载站试运转应符合下列规定：

1 试运转不得少于20车次；

2 应运行平稳，无异常声响，卸载顺利，卸料干净，复位正常；

3 各紧固件应无松动；

4 试运转过程中应对托轮运转部位的温度、温升进行检查，并应符合本规范第3.0.12条的规定。

13.5 注氮设备安装

13.5.1 本节适用于矿用变压吸附、膜分离设备（以下简称注氮设备）的安装。

13.5.2 吸附剂的规格和性能应符合设备技术文件的规定。

13.5.3 制氮设备的脱脂应符合下列规定：

1 制氮机的管路、阀门及各忌油设备均应进行脱脂，脱脂应按现行行业标准《脱脂工程施工及验收规范》HG 20202 的有关规定执行；

2 当制造厂已做过脱脂处理，且未被油脂污染时，可不做脱脂处理；

3 压力容器、阀门、管路中非铝制件及忌油设备均应采用四氯化碳及其他脱脂剂进行脱脂；

4 不得采用已经变质的脱脂剂。

13.5.4 受压设备就位前应按下列规定进行强度试验和严密性试验：

1 制造厂已做过强度试验和气密性试验，并有试验合格证可不做上述试验，当发现设备有损伤或在现场做过局部改装，更换的部分仍应做强度试验和严密性试验；

  2 强度试验、气密性试验应采用洁净、干燥、无油的空气为介质，并应有可靠的安全措施；

  3 强度试验试验压力与保压时间应按设备技术文件的规定执行，当无规定时，强度试验压力应为设计压力的1.15倍，保压时间应为10min～30min，降至设计压力，其保压时间不应少于30min，检查应无渗漏；

  4 严密性试验时应先缓慢升压至试验压力的10%保压5min～10min，无泄漏后升压至试验压力的50%，无异常现象后，应继续升压至试验压力保压10min～30min，然后应降至设计压力，保压时间为30min，应无泄露和异常现象；

  5 阀门应按设计压力做严密性试验，其泄露量不应大于设备技术文件的规定，自动阀门的密封面可采用煤油做渗漏检查，应保持5min无渗油现象。

13.5.5 调整安全阀应符合下列规定：

  1 安全阀应有具备压力容器试验资质的机构进行调整，并应出具报告；

  2 安全阀的开启压力应按设备技术文件规定的调整值进行调整，无规定时，应按设计压力或系统最高工作压力的1.05倍进行调整，并应做起跳试验；

  3 安全阀调整达到要求后，应进行铅封。

13.5.6 与制氮机配套的空气压缩机安装应符合本规范第7.2节的规定。

13.5.7 地面及井下移动式注氮设备安装应符合下列规定：

  1 设备下井前，应检查运输路线巷道、硐室的尺寸，使其满足井下运输的要求，井下安装硐室空间应达到设计要求；

  2 设备安装前应对矿车轨道的水平度进行检查，轨道水平度不应大于2/1000；

3 井下设备硐室内的大气压力、环境温度、相对湿度、甲烷浓度、通风量应达到设备技术文件的规定；

4 井下移动式注氮设备下井前，应将各车连接口用法兰盖密封；

5 变压吸附制氮机摆放顺序应为压缩机、气体净化车、制氮车、氮气缓冲车；膜分离制氮设备的安放顺序应为空压机Ⅰ、空压机Ⅱ、预处理系统、氧氮分离系统；安装制氮设备的平板车应用卡轨器与轨道固定牢靠；

6 冷却水的温度、压力、水质应符合设备技术文件的规定；

7 设备间应采用金属软管连接，其密封垫片应密实、无泄漏，螺栓、螺母等应紧固可靠；

8 应按电控箱说明书的要求进行电气接线，井下电气安装应符合防爆要求。

13.5.8 地面固定式制氮设备安装应符合下列规定：

1 设备就位前应对土建厂房的尺寸、预留孔洞与设计图纸进行核对，制氮设备与建筑墙体及其他设备之间不应小于800mm的安全距离；

2 设备的基础平面应高出室内地面150mm～200mm；

3 应按设计标定每台设备的主管口中心线及标高；

4 设备的垫铁布置、基础螺栓应符合本规范附录A第A.1节和第A.2节的规定；

5 检查室内及周围环境应保证空压机进气干净、无污染、无明显振动、无腐蚀性气体及粉尘，设备工作环境应达到设备技术文件要求；

6 冷却水源、水质应符合设备技术文件的规定；

7 吊装设备时应防止设备表面、控制管线、阀门受到损伤，运输过程中不得倒置、碰撞和剧烈震动；

8 设备就位后，找正、调平应保证每台设备的纵、横向水平度不大于2/1000，设备进出主管口中心与基础面上的轴向基准线一

致,允许偏差应为±3mm;

  9 设备间的金属软管连接前应清除管口周围杂质、油污,螺栓、螺母等应紧固可靠,接口无泄漏;

  10 排污管应以不小于5/1000的坡度接至室外排水沟;

  11 冷却水管、输气管、排污管等管路装配应牢固可靠,应采用支架、管卡固定,不得焊接固定;

  12 冷却水管、空气管、排污管、氮气管配管后应分别用艳绿色、浅灰色、黑色、中黄色油漆予以标识。

13.5.9 注氮设备试运转的操作人员,应经过培训,并应经考试合格后持证上岗。

13.5.10 注氮设备试运转前应进行检查并符合下列规定:

  1 设备的安装、管路装配、电控设备接线应正确、无误;

  2 电源电压、冷却水压力、流量应符合设备技术文件要求;

  3 空压机经试运转,其电机转向,排气量、压力和温度应符合制氮机的要求;

  4 压力容器、氮气管路及相关阀门应经过压力试验和气密性试验并合格;

  5 阀门启闭状态应符合技术文件规定。

13.5.11 制氮设备试运转应符合下列规定:

  1 电源控制柜送电后设备仪表指示应准确无误;

  2 冷冻干燥机预冷时间应为3min～5min,工作正常;

  3 空气压缩机运转正常,压力、气体流量应符合设备技术文件要求,膜分离制氮设备试运转时,当装置中有两台空压机,使用一台空压机时,应把膜管减少一半;

  4 排污系统各手动阀门应开启灵活,排污正常;

  5 应调节气源二联件中的调压阀,使仪表压力达到设备技术文件规定范围;

  6 氮气分析仪应用样气校验测试精度,确认无误后将氮气纯度的下限值调节为97%;

7 开启电控柜运行开关,控制系统启动后,电磁阀应能按预订程序动作,气动阀动作应正常;

8 氮氧分离工作应正常,输出氮气纯度达到97%以上;

9 氮气分析仪工作应正常;

10 应控制仪表读数能调节至设备技术文件规定值范围;

11 成套注氮设备负荷试运转在系统工况稳定后,应连续测定运行4h,无报警或其他异常现象。

13.6 液压注浆泵安装

13.6.1 安装前应对泵的基础进行检查,基础尺寸应符合设计文件的要求,基础表面应平整。

13.6.2 泵的检查除应符合本规范第3.0.6条的规定外,还应符合下列规定:

1 应按设备技术文件的规定清点泵的零件和部件,并应无缺件、损坏和锈蚀等,管口保护物和堵盖应完好;

2 应核对泵的主要安装尺寸,并应与工程设计相符;

3 应核对泵的主要零件、密封件以及垫片的品种和规格;

4 出厂时已经装配、调整完善的部分不得拆卸。

13.6.3 整体出厂的液压泵在防锈保证期内不可拆卸,并应对其外表进行检查,超过防锈保修期或有损伤确需拆卸和清洗时,应按产品技术文件要求的顺序拆卸并清洗干净。

13.6.4 注浆泵安装应符合下列规定:

1 电机、变速箱与泵连接时,应以泵的轴线为基准线。

2 安装过程中应对各类阀件、高压接头进行清洗,清洗后,应将其表面的水和清洗剂除净,并应涂上防锈剂,进液阀、排液阀等密封面不得用蒸汽清洗。

3 泵的吸入和排除管道的安装应符合产品技术文件的要求,当产品技术文件无要求时,应执行下列规定:

1)所有与泵连接的管路应具有独立、牢固的支承;

2)进浆管路的直径不应小于泵的入口直径;
　　3)当采用变径管时,变径管的长度不应小于管径差的7倍。
　4　润滑、冷却和液压等系统的管道应清洗洁净、保持畅通。
　5　油箱、变速箱应加注液压油,液压油的型号、数量应符合设备技术文件的要求。
　6　泵体和变速箱的传动部位加注润滑剂,润滑剂的型号应符合设备技术文件的要求。
　7　油泵、油管、接头等的传动部件及液压系统安装应符合本规范第13.7.2条的规定。
　8　安装过程中应按技术文件的要求安装安全阀、安全膜等安全装置,安全阀安装应符合本规范第7.3.2～7.3.4条的规定。
13.6.5　液压注浆泵试运转前的检查应符合下列规定:
　1　各零部件应紧固牢靠;
　2　活塞死点间隙应符合设备技术文件标准;
　3　管路连接应正确、可靠,检查进浆管密封情况,管道不得破损,进浆侧需设置滤网;
　4　试运转前应按设计文件的规定加注润滑剂;
　5　皮带松紧应适度;
　6　安全阀应灵敏、可靠,并调整至规定的工作终压的1.05倍。
13.6.6　液压注浆泵试运转应符合下列规定:
　1　传动部分的连接螺栓应无松动现象;
　2　试运转中应无异常声响;
　3　泵体变速箱、管路、接头等密封部位应无漏油现象;
　4　压力表指示应正常,无异常摆动;
　5　传动部位的温度、温升应符合本规范第3.0.12条的规定;
　6　试运转结束后,应将注浆管道、吸水泥浆的塞线档(胶圈)取出,用清水冲洗干净。

13.7 液压泵站安装

13.7.1 出厂时已装配、调整完善并且在防锈保证期内的部件可不拆卸。

13.7.2 泵站安装应符合下列规定：

1 泵的清洗和检查应符合本规范第 13.6.1 条的规定。

2 油泵的纵向安装水平度不应大于 0.5/1000，横向安装水平度不应大于 1/1000，并应在泵的进出口法兰面或其他水平面进行测量。

3 液压泵站的阀、油管、油箱等安装应符合下列要求：
   1) 阀、油管、油箱清洗洁净，装配后应无渗漏；
   2) 密封面和螺纹应无损伤，接头应无锈蚀、变形、毛刺；
   3) 相互连接的法兰端面应平行，螺纹管接头轴线应对中，不得强行连接；
   4) 油管与泵连接后，不得在其上进行焊接和气割。

4 液压泵站液压用油的型号与数量应符合设备技术文件的规定，液压油应洁净，其过滤精度不应大于 $20\mu m$，具有伺服阀、比例阀压力处滤油器过渡精度不应大于 $10\mu m$。

13.7.3 试运转前的检查应符合下列规定：

1 各固定连接部位应无松动；

2 各润滑部位加润滑剂的型号和数量应符合设备技术文件的规定；

3 各指示仪表、安全保护装置及电控装置应灵敏、准确、可靠。

13.7.4 液压泵启动时应符合下列规定：

1 液压泵应在有介质的情况下进行试运转，试运转的介质应符合设备技术文件的要求；

2 应打开吸入管路阀门，关闭排出管路阀门；

3 转速正常后应打开出口阀阀门，出口管路阀门的开启不宜大于3min；

4 启动液压泵,进油(液)压力应符合设备技术文件的规定；泵进口油温不得大于60℃,且不得低于15℃,过滤器不得吸入空气,调整溢流阀应使压力逐渐升高至工作压力,升压中应多次开启系统放气口将空气排出。

13.7.5 液压泵试运转应符合下列规定：

1 油泵及各传动部位运行应平稳,无异常声响；

2 各传动部位的温度、温升应符合本规范第3.0.12条的规定；

3 油箱油温最高温度不应大于60℃；

4 系统的油(液)路应畅通；

5 液压、润滑等各个系统应工作正常,无渗漏现象；

6 仪表指示应正常。

13.8 泥浆泵安装

Ⅰ 设备基础

13.8.1 安装前应对泵的基础进行检查,并应符合本规范第3.0.7条的规定。

Ⅱ 离心式泥浆泵安装

13.8.2 泵的清洗检查应符合本规范第13.6.1条和第13.6.3条的规定。

13.8.3 出厂时已装配、调整完善的部分不应随意拆卸。

13.8.4 电动机与泵体连接时,应以泵的轴线为基准找正；驱动机与泵体之间有中间机器连接时,应以中间机器轴线为基准找正。

13.8.5 泵的安装、机体中心线位置允许偏差应为±10mm；机体标高允许偏差应为±5mm。

13.8.6 电动机轴与泵轴采用联轴器连接应符合本规范附录A第A.7节的规定；采用皮带传动时,应符合本规范附录A第A.5节的规定。

13.8.7 转子部件与壳体部件之间的径向总间隙应符合设备技术文件要求。

13.8.8 叶轮在蜗壳内的前轴向、后轴向、节段式多级泵的轴向尺寸均应符合设备技术文件的规定,多级泵各级水平面间原有垫片的厚度不得改变。

13.8.9 叶轮出口的中心线与泵壳流道中心线应对准,多级泵在平衡盘与平衡板贴紧的情况下,叶轮出口的宽度应在导叶进口宽度范围内。

13.8.10 组装填料密封径向总间隙应符合设备技术文件的规定。

13.8.11 轴密封件组装后,盘动转子转动应灵活,转子的轴向窜量应符合设备技术文件规定。

Ⅲ 往复式泥浆泵安装

13.8.12 泵的清洗和检查应符合本规范第 13.6.1 条和第 13.6.3 条的规定。

13.8.13 基础垫铁布置应符合本规范附录 A 第 A.1 节的规定。

13.8.14 泵的安装、机体中心线位置允许偏差应为 ±10mm,机体标高允许偏差应为 ±5mm。

13.8.15 缸套顶部应低于泥浆槽液面高度,其吸入管路下侧应高于泥浆槽底 300mm,吸入管路应无 90°直弯。

13.8.16 解体出厂的往复泥浆泵的安装,除应符合本规范第 13.8.3~13.8.11 条规定外,其组装时还应符合下列规定:

1 曲轴、偏心盘轴承径向间隙、轴向间隙、轴承端面及轴承端盖间隙均应符合设备技术文件要求;无规定时,应符合本规范附录 A 第 A.11 节的规定;

2 十字头销与连杆轴套接触应均匀,径向间隙与轴向间隙应符合设备技术文件的规定;无规定时,应符合本规范附录 A 第 A.11 节的规定;

3 应保证泵皮带轮轴与减速箱皮带轮轴、驱动机输出轴与离合器皮带轮轴平行;

4 高压胶管的弯曲半径不得小于 1m；

　　5 泵的吸入阀和排出阀组装时，弹簧的弹力应均匀，钢球和弹簧应无卡阻现象，调节装置和钢球升程应符合设备技术文件的规定，阀的密封应做煤油检漏试验，在 5min 内应无渗漏。

　　　　　　　　Ⅳ　泥浆泵安装试运转

13.8.17 离心式泥浆泵试运转前的检查应符合下列规定：

　　1 电动机的转向应与泵的转向相符；

　　2 各固定、连接部位应无松动；

　　3 地脚螺栓应重新检查、紧固；

　　4 各润滑部位应加注润滑剂，润滑剂的型号、数量应符合设备技术文件的规定；

　　5 盘车应灵活，无异常。

13.8.18 泥浆泵启动应符合下列规定：

　　1 应关闭排出管路阀门；

　　2 多级泵的平衡盘冷却水管路应畅通，吸入管路应充满泥浆，并排尽空气；

　　3 泵启动后应快速通过喘振区；

　　4 压力正常后应打开出口管路的阀门。

13.8.19 离心式泥浆泵试运转时应符合下列规定：

　　1 各固定连接部位不应有松动；

　　2 转子及各运动部件运转时应无异常响声；

　　3 附属系统运转应正常，管道连接应牢固、无渗漏；

　　4 仪表指示应准确，安全保护装置应灵敏、可靠；

　　5 传动部位的温度、温升应符合本规范第 3.0.12 条的规定；

　　6 泵在额定工况点连续试运转时间不应少于 2h。

13.8.20 往复式泥浆泵试运转应符合下列规定：

　　1 空负荷试运转时间不应少于 0.5h；

　　2 负荷试运转应在空负荷试运转合格后进行，按额定压差值的 25%、50%、75%、100% 逐级升压，待泥浆循环正常后换挡变速,各挡位运转时间不应小于15min,最后在额定压差值和最大泵速下运转2h,前一泵速运转未合格,不得进行后一转速级的运转;

  3 溢流阀、放气阀等应灵敏、可靠;

  4 安全阀应在逐渐关闭排出管道阀门、提高排气压力的情况下试验阀的起跳压力,其试验不应少于3次,动作应正确、无误;

  5 吸液和排液压力应正常,泵的出口压力应无异常波动;

  6 泵在运转中应无异常声响和振动;

  7 泵的润滑油及油位应在规定范围内,油池的油温不应大于75℃;

  8 轴承温度、温升应符合本规范第3.0.12条的规定;

  9 停泵应在负荷卸载后进行。

13.9 闸门安装

13.9.1 闸门安装应符合下列规定:

  1 安装前,应对其上部溜槽口标定闸门测量十字中心线、标高线,与下口接受设备进行校对,闸门的位置偏差应为±5mm,闸门的水平度不应大于10/1000;

  2 闸门法兰密封应良好,密封垫料应符合设计文件要求,密封垫片与连接法兰边宽应相等;

  3 安装时,连接螺栓应均匀拧紧,牢固可靠,并应符合本规范附录A第A.2节的规定;

  4 闸门应安装牢固,启闭灵活。

13.9.2 液压操作系统安装应符合下列规定:

  1 机构安装应紧固、零部件齐全;

  2 底座或支架与基础间的垫铁,应符合本规范附录A第A.1节的规定;

  3 液压站安装,应符合本规范第13.7节的规定,液压系统的压力值应符合产品技术文件的规定;

  4 液压系统安装完毕后,液压站、液压管路、油缸活塞、液压元件及液压管道不应有渗油现象；

  5 液压系统所用液压油应符合产品技术文件的规定；

  6 转动部分应润滑良好，支撑受力均匀；

  7 压力表应经检验合格，并应有检验报告；电接点压力表的动作应正确可靠；

  8 传动装置动作应灵活；

  9 远方和就地操作、手动和电动操作之间的闭锁应可靠；

  10 操作系统的动作指示器应与实际相符；

  11 限位装置应准确可靠，达到规定启、闭极限位置时应能可靠切除或接通电源；

  12 闸门启、闭操作应平稳、无卡阻、无冲击。

13.9.3 气动操作系统安装，除应符合本规范第13.9.2条的规定外，还应符合下列规定：

  1 气动机构所使用压缩机安装应符合本规范第7章的规定；

  2 自动排污装置应动作正确；

  3 储气罐等压力容器的试验，应符合现行国家标准《压力容器》GB 150的有关规定；

  4 储气罐安装应牢固；

  5 气水分离器、各类阀门的检验及空气管路的敷设应符合本规范第11章的规定。

13.10 溜槽安装

13.10.1 溜槽的制作应符合现行国家标准《钢结构工程施工质量验收规范》GB 50205的有关规定。

13.10.2 溜槽安装应符合下列规定：

  1 安装前，应对其上部进料口标定测量十字中心线、标高线，并做好标记，并与其他相关安装工程进行复核，其位置及几何尺寸应符合设计要求；

  2 安装前，应将其上部连接部位的杂物、尘垢清理干净；

3 溜槽上下连接部位的密封应良好,密封垫料应符合设计文件要求,密封垫片与连接法兰边宽应相等;

4 溜槽安装时,其连接螺栓应均匀拧紧,应牢固、可靠,并符合本规范附录 A 第 A.2 节的规定;

5 耐磨衬板采用焊接固定的,焊接材料应符合技术文件的要求;

6 耐磨衬板采用螺栓固定的,应符合下列要求:

　　1)耐磨衬板制孔的精度、孔壁表面的粗糙度、螺栓孔距的加工偏差应符合现行国家标准《钢结构工程施工质量验收规范》GB 50205 的有关规定;

　　2)耐磨衬板与溜槽的连接螺栓连接应紧固、可靠,沉头螺栓拧紧后,沉头部分不得凸出衬板表面。

7 溜槽安装水平度不应大于 10/1000,位置偏差应为±5mm。

13.11 甲带式给料机安装

13.11.1 设备检查除应符合本规范第 3.0.6 条的规定外,还应符合下列规定:

1 导料槽、闸门尺寸及螺栓连接孔尺寸应符合设计或设备技术文件的要求;

2 甲带、胶带、托辊、驱动装置、改向滚筒、驱动手轮及清料器等附件的数量、尺寸及质量应进行检查,并应符合设计和设备技术文件的要求。

13.11.2 甲带式给料机安装应符合下列规定:

1 导料槽安装前,应对其上部进料口标定测量十字中心线、标高线,并做好标记,并应与配套安装工程进行复核,其位置及几何尺寸应符合设计要求。

2 设备安装过程中,应对传动轴承润滑部位进行检查、清洗,并应按设备技术文件要求进行注油。

 3 溜槽安装应符合本规范第13.10.2条的规定。

 4 导料槽耐磨衬板安装,应符合本规范第10.3.2条的规定。

 5 给料机安装偏差应符合下列要求:

  1)机体中心线应与设计中心线位置允许偏差应为±5mm;

  2)机体标高的允许偏差应为±5mm;

  3)溜槽安装水平度不应大于10/1000,位置允许偏差应为±5mm。

 6 驱动滚筒、改向滚筒、胶带、托辊、清料器安装应符合本规范第5.1节的有关规定。

 7 各连接螺栓应牢固、可靠,并应符合本规范附录A第A.2节的规定。

 8 无级变速机传动轴的同轴度偏差应符合设备技术文件的规定,无规定时不应大于其联轴器允许偏差。

 9 输出轴安装链轮时,不得重击,应用输出轴外端螺孔旋入螺钉,压入链轮。

 10 传动链条安装应符合本规范附录A第A.5节的有关规定。

13.11.3 甲带式给料机试运转前应做好下列工作:

 1 应检查各运转部位注油情况,润滑剂的型号、数量应符合设备技术文件的规定;

 2 应检查各部件连接螺栓、焊缝等情况,确认良好;

 3 无级变速机应加入润滑油,润滑油的规格、数量应符合设备技术文件的规定。

13.11.4 甲带式给料机试运转应符合下列规定:

 1 空负荷载试运转不得少于4h,负荷载试运转不得少于4h;

 2 各运转部位应无异常声响,各紧固件应无松动现象;

 3 应调整皮带,张紧适中,运行时皮带与滚筒不应打滑;

 4 托辊应无卡阻及不转动现象;

 5 传动链条的弛垂度应适中;

6 皮带跑偏量不得大于带宽的 5%；

7 轴承温度、温升应符合本规范第 3.0.12 条的规定。

13.12 防跑车装置

13.12.1 本节适用于电动式防跑车装置安装。防跑车装置应符合下列基本规定：

1 防跑车装置应具有煤安标志，强度、灵敏度应符合安全要求；

2 安装前应对跑车防护装置各部件及钢梁规格及几何尺寸进行检查，并应符合设计要求；

3 设备安装前的检查除应符合本规范第 3.0.6 条的规定外，还应符合下列规定：

　　1）挡车栏、收放绞车、吸能装置、阻车器、传感器、电控箱、监控箱等设备规格、附件数量、尺寸应进行检查，并应符合设计和设备技术文件的要求；

　　2）轨道及放置传感器的孔的尺寸和质量应符合设计要求。

13.12.2 防跑车装置安装应符合下列规定：

1 应按斜井防跑车安全保护装置的结构简图及设计要求确定在井巷中的安装位置和数量。

2 应按安装基础图的要求进行吸能器、挡车栏横梁窝施工、收放绞车悬挂点施工及控制箱吊挂点施工，基础应设置在岩层内。

3 基础凝固后应将收放绞车、挡车栏进行安装，并应根据实际安装位置将滑轮进行固定（原则上在挡车栏提起后的垂直上方用锚杆将滑轮固定）。最后将吸能器、挡车栏、收放绞车、滑轮等进行有效的联接。

4 安装电控箱、传感器、监控箱应可靠联接。

5 应根据电气控制图原理及接线图要求，将传感器的信号电缆接入电控箱，将电控箱控制电缆接入收放绞车、报警装置、跑车状态开关，并应根据现场矿车运行情况编辑控制程序。

6 装配完毕后,应对照图纸对电气及机械部分进行一次全面检查,确认无误后接入电源,对部件进行调试。

13.12.3 防跑车装置试运转应符合下列规定:

1 使用前应根据布置图、安装图检查安装是否合理,挡车栏提到位后矿车是否正常通行,并应根据具体情况确定横梁高度,使矿车能顺利通过;

2 应调整钢丝绳长度使挡车栏栏网处在合适位置,各运转部位应灵活自如;

3 在人车运行时应将挡车栏锁在"常开"状态;

4 应检查各紧固件是否松动;

5 应使挡车栏正常升降,运行平稳;

6 应接通电源,测量电源电压值波动范围在±10%以内;

7 应不放矿车,将绞车空运转,当绞车运转到规定位置后看动作是否可靠;

8 防跑车装置安装完毕后,应采用模拟正常行车和模拟跑车的方法检测装置工作是否正常。反复运转3次~5次后放下矿车进行实验,矿车上下5次后不发生故障即可投入使用。

14 井下空气调节系统安装工程

14.1 空气加热室设备安装

14.1.1 热交换器及配套通风机到货应有装箱清单、设备说明书、合格证等随机文件。

14.1.2 通风机设备检查除应符合本规范第3.0.6条的规定外，还应符合下列规定：

　　1 应按设备装箱清单清点风机的零件、部件和配件，并应齐全；

　　2 应根据设备装箱清单核对叶轮、机壳和其他部位的主要尺寸，进风口、出风口的位置等应与设计相符；

　　3 风机进、出口的方向（或角度）应与设计相符，叶轮旋转的方向和定子导流方向应符合设备技术文件的规定；

　　4 进风口、出风口应有盖板遮盖；

　　5 风机的结合面、机壳和转子不应有变形、锈蚀或碰损等缺陷。

14.1.3 热交换器开箱检查除应符合本规范第3.0.6条的规定外，还应符合下列规定：

　　1 热交换器规格应符合设计要求；

　　2 表面应无裂纹、损伤和锈蚀等缺陷；

　　3 进出口封盖应完好，安装前不得将封盖拆卸。

14.1.4 主干管阀门安装前，应做强度试验和严密性试验。强度试验压力应为公称压力的1.5倍，严密性试验压力应为公称压力的1.1倍；试验压力在试验持续时间内应保持不变，且密封面无渗漏，阀门试验时间应符合表14.1.4的规定。

表 14.1.4 阀门试验持续时间

公称直径 DN (mm)	最短试验持续时间(s)		
	严密性试验		强度试验
	金属密封	非金属密封	
≤50	15	15	15
65~200	30	15	60

14.1.5 通风机安装和试运转应符合本规范第 6 章的有关规定。

14.1.6 管道及配件安装应符合下列规定：

1 管径小于或等于 φ32mm 的焊接钢管，应采用螺纹连接；管径大于 φ32mm 宜采用焊接。管径小于或等于 φ100mm 的镀锌钢管应采用螺纹连接，管径大于 φ100mm 的镀锌钢管宜采用法兰或卡套式专用管件连接。

2 管道安装坡度应符合下列规定：

　　1）气、水同向流动热水采暖管道和汽、水同向流动的蒸汽管道及凝结水管道，坡度宜为 2‰~3‰；

　　2）气、水逆向流动热水采暖管道和汽、水逆向流动的蒸汽管道及凝结水管道，坡度不应小于 5‰；

　　3）散热器的支管坡度应为 1%，坡向应有利于排气和泄水。

3 补偿器的型号、安装位置及预拉伸和固定支架的结构、位置应符合设计要求，还应符合本规范第 11.2.8 条的规定。

4 蒸汽减压阀和管道及设备上的安全阀的型号、规格及安装位置应符合设计要求，安装后应系统工作压力进行调整。

5 热量表、疏水器、过滤器、除污器及阀门的型号、规格及安装位置应符合设计要求。

6 管道支、吊架安装应符合本规范第 11.2.7 条的规定，并当支、吊架固定在建筑物或构筑物上时，不得对建筑物或构筑物的结构安全产生影响。

7 管道立管管卡安装应符合下列规定:
　1)楼层高度小于或等于 5m 时,每层应安装 1 个;
　2)楼层大于 5m 时,每层应安装 2 个;
　3)管卡安装高度距地面 1.5m～1.8m 时,2 个以上管卡应均匀安装,同一房间管卡安装高度应一致;
　4)管道穿越墙壁或楼板,应设置金属或塑料套管,安装在楼板内的套管,其顶部应高出装饰地面 20mm,底部楼板地面平齐;安装在墙壁内的套管前两端与装饰面平齐,穿越楼板的套管与管道之间以及穿越套管与管道之间的缝隙,应用阻燃密室材料和防水油膏填实,端部光滑,管道的接口不得设在套管内。

8 弯制钢管弯曲半径应符合下列规定:
　1)热弯:不应小于管道外径的 3.5 倍;
　2)冷弯:不应小于管道外径的 4 倍;
　3)焊接弯头:不应小于管道外径的 1.5 倍;
　4)冲压弯头:不应小于管道外径。

9 当采暖热媒为 110℃～130℃ 的高温水时,管道连接应采用法兰连接,不得使用长丝扣和活接头,法兰密封面应使用耐热橡胶板。

10 供热管道安装的允许偏差应符合表 14.1.6-1 的规定。

表 14.1.6-1　供热管道安装的允许偏差(mm)

项次	项 目			允偏差许
1	横管道纵、横向方向弯曲(mm)	每 1m	管径≤100mm	1
			管径>100mm	1.5
		全长(25m 以上)	管径≤100mm	≤13
			管径>100mm	≤25
2	立管垂直度(mm)	每 1m		2
		全长(25m 以上)		≤10

11 管道保温的允许偏差应符合表 14.1.6-2 的规定。

表 14.1.6-2 管道保温的允许偏差(mm)

项次	项目		允许偏差（mm）
1	厚度		$+0.1\delta$
2	表面平整度	卷材	5
		涂抹	10

注：δ 为保温层厚度。

14.1.7 热交换器安装应符合下列规定：

1 热交换器应具有合格证明，并应在设备技术文件的规定使用期限内，外表无损伤安装前可不做水压试验，否则应做水压试验。应符合设备技术文件的规定，设备技术文件无规定的，试验压力应按系统工作压力的 1.5 倍进行，且不小于 0.6MPa，观测 3min，压力不降且无渗漏。

2 热交换器与四周构筑物以及热交换器之间的缝隙应堵严。

3 热交换器框架安装应平直、牢固。

14.1.8 系统水压试验应符合下列规定：

1 供热系统安装完毕后，在管道保温前应进行水压试验，试验压力应符合下列设计规定：

1) 蒸汽、热水采暖系统的水压试验以系统顶点工作压力加 0.1MPa 压力做水压试验，同时在系统顶点的压力试验不应小于 0.3MPa；

2) 高温热水采暖系统，试验压力应为以系统工作顶点压力加 0.4MPa；

3) 采暖系统在试验压力下 10min 内，压力降不应大于 0.02MPa，然后降至工作压力进行检查，应不渗不漏；

4) 管道试压合格后应进行冲洗，并应清扫过滤器和除污器，以水色不浑浊为合格；

5）系统冲洗完毕后充水、加热，进行试运行和调试，测量温室应满足设计要求。

14.2 制冷系统设备安装

14.2.1 本节适用于螺杆式压缩机制冷机组，其他形式（离心式、活塞式）的压缩机制冷机组，压缩机安装应符合现行国家标准《制冷设备、空气分离设备安装工程施工及验收规范》GB 50274 的有关规定。

14.2.2 制冷机组防爆等级应符合设计和技术文件的要求，并应有"MA"标志。

14.2.3 制冷机组在规定的防锈保证期内安装时，油封、气封应良好无锈蚀，其内部不可拆洗；当超过防锈保证期或明显有缺陷时，应按设备技术文件的要求对机组内部进行拆卸、清洗。

14.2.4 制冷机组安装时，所采用的阀门和仪表应符合相应介质的要求，法兰、螺纹等处的密封材料应选用耐油橡胶石棉板、聚四氟乙烯膜带、氯丁橡胶密封液等。

14.2.5 设备安装前的检查除应符合本规范第 3.0.6 条的规定外，还应符合下列规定：

　1　制冷设备、附属设备、管道、管件、阀门的型号规格、性能及技术参数等应符合设计要求；

　2　设备机组的外表应无损伤、密封良好。

14.2.6 安装用垫铁规格及布置应符合本规范附录 A 第 A.1 节的规定。

14.2.7 制冷机组设备安装应符合下列规定：

　1　对有减振要求的机组，应在基础上面铺垫弹性橡胶板，厚度不应小于 10mm；

　2　主机和附属设备的防锈油封应清洗洁净，并应除尽清洗剂和水分；

　3　设备应无损伤等缺陷，工作腔内不得有杂质；

4 压缩机的安装应符合本规范第 7.2.2 条的规定；
5 联轴器安装应符合本规范附录 A 第 A.7 节的规定。
14.2.8 附属设备及室内管道安装应符合下列规定：
1 制冷系统的附属设备就位前，应检查管口的方向与位置、地脚螺栓与基础位置，并应符合设计要求。
2 附属设备的安装除应符合设计和设备技术文件的规定外，还应符合下列规定：

1) 附属设备的安装，应按设备技术文件的要求进行气密性试验及单体吹扫，严密性试验压力应符合设备技术文件的规定，当设计和设备技术文件无规定时，应符合表 14.2.8-1 的规定；

表 14.2.8-1 严密性试验压力（绝对压力）

制冷剂	高压系统试验压力（MPa）	低压系统试验压力（MPa）
R717、R502	2.0	1.8
R22	2.5（高冷凝压力） 2.0（低冷凝压力）	1.8
R12	1.6（高冷凝压力） 1.2（低冷凝压力）	1.2
R11	0.3	0.3

2) 卧式设备的安装水平度和立式设备的垂直度均不应大于 1/1000；

3) 带集油器的设备安装时，集油器的一端应稍低；

4) 当安装低温设备时，设备的支撑和与其他设备接触处应增设垫木，垫木应做防腐处理，垫木的厚度不应小于隔热层的厚度；

5) 制冷剂泵的轴线标高应低于循环贮液桶的最低液面标高，其间距应符合设备技术文件的规定。泵的进出口连接管径不应小于泵的进出口直径。
3 管道、附件安装应符合下列规定：
　1）制冷系统管道安装前,应清除管道内的氧化皮和污染物；
　2）对进、出口封闭性能良好、具有合格证并在保证期限内安装的阀门,可只清洗密封面；对不符合上述条件的阀门,应拆卸、清洗,并应更换填料和垫片；每个阀门均应进行单体严密性试验,试验压力应符合设计或产品技术文件的规定；当设计或产品技术文件无规定时,应符合本规范表14.2.8-1的规定；
　3）设备之间冷却剂管道连接的坡向与坡度,应符合设计或设备技术文件的规定,当设计或设备文件无规定时,应符合表14.2.8-2的规定；

表14.2.8-2　制冷设备管道敷设坡向及坡度

管道名称	坡　向	坡　度
压缩机进气水平管(氨)	蒸发器	≥3/1000
压缩机进气水平管(氟利昂)	压缩机	≥10/1000
压缩机水平管道	油分离器	≥10/1000
冷凝器至贮液器水平供液管	贮液器	1/1000～3/1000
油分离器至冷凝器的水平管	油分离器	3/1000～5/1000
机器间调节站的供液管	调节站	1/1000～3/1000
调节站至机器间的加气管	调节站	1/1000～3/1000

　4）单向阀门应按制冷剂流向装设。带手柄的阀门,手柄不得向下,电磁阀、热力膨胀阀、升降式止回阀等的阀头均应向上垂直安装。热力膨胀阀的安装位置宜靠近蒸发器,以便调整和检修。感温包的安装应符合设备技术文件的要求。

14.2.9　管道的防腐蚀应符合本规范第12.2.13条的规定。设备和管道的隔热保温材料、保温范围及隔热层厚度除应符合设计规定外，还应符合本规范第11.2.14条的规定。

14.2.10 轴流式风机或对旋式风机安装应符合本规范第6.3节的规定。

14.2.11 冷却水和冷冻水循环系统调试应符合下列规定：

 1 应开启各末端设备，关闭各旁路，进行水系统试运转；

 2 应排尽系统内的空气；

 3 应对系统进行参数调试，并应符合产品技术文件的要求。

14.2.12 管路的清洗应符合下列规定：

 1 清洗时，制冷机、换热器、喷水室、冷却塔等应设旁路；

 2 应反复拆洗过滤器并排污，直至排水洁净。

14.2.13 制冷系统的设备及管道组装完毕后，应按下列程序充灌制冷剂：

 1 系统的吹扫；

 2 严密性试验；

 3 抽真空试验；

 4 氨系统保温前的充氨检漏；

 5 系统保温后充灌制冷剂。

14.2.14 制冷系统的吹扫应符合下列规定：

 1 应用0.5MPa～0.6MPa的干燥压缩空气或氮气按系统顺序反复多次吹扫，并应在排污口处设靶检查，直至无污为止；

 2 系统吹扫后，应拆卸可能积存污物的阀门，清洗洁净重新组装。

14.2.15 管路水压试验应符合下列规定：

 1 试验压力为工作压力的1.5倍，观测10min，压力降不应大于0.02MPa；

 2 试验压力降至工作压力进行，保压10min，应不渗漏。

14.2.16 制冷系统的严密性试验应符合下列规定：

1 严密性试验采用干燥压缩空气或氮气进行，试验压力应符合设计或设备技术文件的规定；当设计和设备技术文件无规定时，应符合本规范表 14.2.8-1 的规定；

2 系统检漏时，应在规定的试验压力下，用肥皂水或其他发泡剂刷抹在焊缝、法兰等处，检查应无泄漏，系统保压时应充气至规定的试验压力，6h 以后开始记录压力表读数，经 24h 以后再检查压力表的读数，其压力降应符合公式 14.2.16 的计算结果，并不应大于试验压力的 1%；当压力降大于上述规定时，应查明原因消除泄漏，并应重新试验，直至合格。

$$\Delta P = P_1 - \frac{273+t_1}{273+t_2}P_2 \quad (14.2.16)$$

式中：ΔP——压力降（MPa）；

　　　P_1——开始时系统中气体的压力（MPa，绝对压力）；

　　　P_2——结束时系统中气体的压力（MPa，绝对压力）；

　　　t_1——开始时系统中气体的温度（℃）；

　　　t_2——结束时系统中气体的温度（℃）。

14.2.17 制冷系统的抽真空试验应符合设备技术文件的规定。

14.2.18 氨系统的充氨检漏应符合下列规定：

1 抽真空试验后，对氨制冷系统应利用系统的真空度向系统充灌少量的氨，当系统内的压力升至 0.1MPa～0.2MPa 时应停止充氨，对系统进行全面检查，并应无泄漏；

2 当发现有泄漏需要补焊修复时，应将修复段的氨气放净后，方可进行修复。

14.2.19 设备和管道的隔热材料、隔热范围及隔热层厚度除应符合设计规定外，还应符合本规范第 11.2.14 条的规定。

14.2.20 充灌制冷剂应符合下列规定：

1 制冷剂应符合设计要求；

2 应先将系统抽真空，其真空度应符合设备技术文件的规定；

3 当系统内的压力升至 0.1MPa～0.2MPa 时，应进行全面

检查,无异常后方可继续充制冷剂;R11制冷剂除外;

4 当系统压力与钢瓶压力相同时方可开动压缩机,加快制冷剂的充入速度;

5 制冷剂充入的总量应符合设计或技术文件的规定。

14.2.21 压缩机组试运转前的检查应符合下列规定:

1 应脱开联轴器,单独检查电动机的转向,并应符合压缩机运行要求;连接联轴器,其安装允许偏差应符合本规范附录A第A.7节的规定;

2 盘动压缩机应无阻滞和卡阻现象;

3 应向油分离器、贮油器或油冷却器中加注冷冻机油,油的规格及油面高度应符合设备技术文件的规定;

4 油泵的转向应正确,油压宜调节至0.15MPa~0.3MPa,调节四通阀至增、减负荷位置;阀的移动应灵敏,位置正确,并应将滑阀调至最小负荷位置;

5 各保护继电器、安全装置的整定值应符合设备技术文件的规定,并应灵敏、可靠。

14.2.22 压缩机组的负荷试运转应符合下列规定:

1 应按要求供给冷冻水和冷却水;

2 启动运转程序应符合设备技术文件的规定;

3 调节油压宜大于排气压力0.15MPa~0.3MPa,精滤油器前后压差不应高于0.1MPa;

4 冷却水温度不应大于32℃,压缩机的排气温度和冷却后的油温应符合表14.2.22的规定;

表14.2.22 压缩机的排气温度和冷却后的油温(℃)

制冷剂	排气温度	油温
R12	≤90	30~55
R22、R717	≤105	30~65

5 吸气压力不宜低于0.05MPa,排气压力不应高于1.6MPa;

6 运转中应无异常声响和振动,压缩机轴承体的温度和温升应符合本规范第 3.0.12 条的规定;

7 轴封处的渗油量不应大于 3mL/h。

14.2.23 制冷系统负荷试运转前的准备工作应符合下列规定:

1 系统中各保护装置应按设备技术文件的规定值进行整定,动作应灵敏、可靠;

2 油箱的油面高度应符合设备技术文件的规定;

3 应按设备技术文件的规定开启或关闭系统中的相应阀门;

4 冷却水供应应正常;

5 蒸发器中制冷剂供给应正常;

6 压缩机能量调节装置应调到最小负荷位置或打开旁通阀。

14.2.24 制冷系统负荷试运转应符合下列规定:

1 制冷泵不得空负荷试运转,或在有气蚀的情况下运转;

2 制冷机的启动,应符合设备技术文件规定的程序;

3 制冷机启动后,应缓慢开启吸气截止阀,调节系统的节流装置,系统工作应正常;

4 系统经过试运转,系统温度应能在最小的外加热负荷下,降低至设计或设备技术文件规定的温度。

14.2.25 试运转中应进行下列检查,并应做好记录:

1 油箱油面高度和各部位供油情况;

2 润滑油的压力和温度;

3 吸、排气压力;

4 冷却水系统的供水量、排水温度;

5 制冷剂的温度;

6 贮液器、中间冷却器等附属设备的液位;

7 各连接和密封部位应无松动、漏气、漏油、漏水现象;

8 电动机的电流、电压和温升;

9 各仪表指示情况;

10 各运动部件应无异常声响和振动。

14.2.26 停止运转应符合下列规定：

　　1 应按设备技术文件规定的顺序停止压缩机的运转；

　　2 压缩机停机后，应关闭水泵或风机以及系统中相应的阀门，并放空积水；

　　3 试运转结束后，应拆洗系统中的过滤器并更换或再生干燥剂。

15 斗轮式堆取料机设备安装工程

15.1 一般规定

15.1.1 传动件、液压件、气动件、电气设备及电器元件不应露天存放,并应采取防潮、防尘、防腐蚀等保护措施,裸露的加工面应采取防护措施。

15.1.2 大型构件应垫平放稳,细长杆件、较薄的板件等易变形部件存放时,应采取避免发生存放变形的措施。

15.1.3 构件的焊接,应符合本规范附录A第A.4节的规定,焊缝级别应符合设计图纸的要求。

15.1.4 垫铁安装应符合本规范附录A第A.1节的规定。

15.1.5 减速器安装、联轴器装配应符合本规范附录A第A.6节和第A.7节的规定。

15.1.6 螺栓连接应符合本规范附录A第A.2节的要求。

15.1.7 安装前,对大型构件进行尺寸校核,变形量不应大于设备技术文件的规定;对超出规定的变形构件应矫正合格或更换。

15.2 臂式斗轮堆取料机安装

15.2.1 轨道安装应符合下列规定:

1 检查轨道安装预埋件的坐标位置、标高、跨度和表面的平面度均应符合设计要求。

2 钢轨铺设前,应对钢轨的直线度和端面质量进行检查,直线度应小于1/1000,端面平整光滑。

3 两平行轨道的对应接头位置应错开200mm以上。

4 轨道扣件应齐全、螺栓无松动。

5 轨道实际中心线对安装基础线的位置允许偏差应为±6mm。

6 两条平行轨道的距离偏差应符合下列要求：
　　　1) 轨距小于或等于 3.2m 时允许偏差应为±4mm；
　　　2) 轨距大于 3.2m 时允许偏差应为±6mm。
　　7 轨道水平方向直线度应小于 1/1000，全长不得大于 15mm。
　　8 轨道纵向方向直线度应小于 1/1000，全长不得大于 25mm。
　　9 两平行轨道上任意同一横向截面上的轨道面高低差不应大于轨距的 1‰，最大不得大于 5mm。
　　10 环型轨道的偏差除符合平行轨道的要求外，其直径允许偏差应为±3mm。

15.2.2 行走机构及均衡梁安装应符合下列规定：
　　1 同侧轨道上各车轮的滚动圆的中心面应在同一平面内，其同位差不得大于 5mm（允许在车轮基准端面上检测）；
　　2 同轴线上的两个车轮的偏斜方向应相反，上边向外偏，车轮的垂直偏斜值不得大于测量长度的 1/400，水平偏斜不得大于测量长度的 1/1000；
　　3 同轴线上一对车轮水平偏斜不得大于测量长度的 1/1000；
　　4 均衡梁轴距、跨度允许偏差应为±5mm，四条支腿对角线尺寸之差不得大于 15mm。

15.2.3 回转机构安装应符合下列要求：
　　1 安装时用塞尺检查支承平面与支座安装面的接触情况，接触面积应符合设备技术文件的要求，无规定时接触面积不得小于 80%；
　　2 安装后回转支承座圈上平面对水平面的平行度应为支承座圈直径的 0.5/1000，最大不得大于 5mm，座圈对门座中心的位置偏差应为±5mm；
　　3 回转支承轨道平面度为直径的 1/1000，最大不应大于 5mm；

4 回转驱动装置与针轮或大齿轮啮合间隙应符合设备技术文件要求。

15.2.4 机架安装应符合下列规定：

1 门座架圈应在调整水平后按额定扭矩拧紧高强螺栓；

2 机架安装后相关联的两构件对称度应为 10mm。

15.2.5 悬臂胶带机安装应符合下列要求：

1 架体上安装轴承座的两对应安装面应在同一平面上，两安装面的平面度允许偏差应为±1.5mm，对应孔间距允许偏差应为±2mm，孔的对角线允许偏差应为±4mm；

2 轴承座紧固后，回转部件用手轻盘，应转动自如，无卡阻现象；

3 机架中心线直线度允许偏差应为±5mm；

4 清扫器现场调整时，要使其上的刮片与胶带表面完全接触，接触长度不应小于85%；

5 所有的托辊组中心线应与前臂架中心线重合，其直线度允许偏差应为2mm；

6 托辊地脚孔间距的允许偏差应为±1.5mm，同截面托辊座底架相对标高不应大于2mm，相邻两组托辊中心距允许偏差应为±3mm，任意两组托辊中心距允许偏差应为±5mm；

7 驱动滚筒轴线对臂架中心线的垂直度应小于4mm，滚筒、托辊的横向中心线与臂架中心线的重合度不应大于3mm。

15.2.6 斗轮机构安装应符合下列要求：

1 装配时，端盖与轴承座接触面应涂密封胶，轴承座内宜加注1/2~2/3内腔的润滑脂，迷宫密封处应用润滑脂填满，装配后要求轴转动灵活，无卡阻现象；

2 在马达输出轴与斗轮轴连接前，应用酒精、丙酮等清洗剂清洗轴的外表面、马达输出轴内孔及胀套的收缩环，确保连接面清洁无杂物；

3 胀套就位后应均匀拧紧所有螺栓，每个螺栓旋转90°，依次拧紧,直至达到螺栓的额定扭矩值。

15.2.7 俯仰装置安装应符合下列要求：

　　1 卷扬俯仰装置安装后,钢丝绳应能顺利绕过,钢丝绳与滑轮槽边缘不得有摩擦和跳槽现象；

　　2 液压俯仰装置中压力缸应对中,双缸操纵同一机构时其平行度、对称度应符合设备技术文件的要求；

　　3 安装液压油缸时,应仔细操平、找正,安装连接轴销不得强行打入。

15.2.8 电缆卷筒安装应符合下列规定：

　　1 电缆卷筒的卷筒径向中性面与轨道中心线的平行度不应大于5mm；

　　2 电刷压力弹簧的压力应均匀一致；

　　3 应人工盘动,卷盘转动灵活。

15.2.9 配重部分安装应符合下列要求：

　　1 配重架与起重装置轨道的接口要对齐,不得错位；

　　2 配重块全部安装结束后,应用垫板将配重块之间隔开,并应将垫板与配重架焊接牢固。

15.2.10 液压系统的安装,应符合本规范第13.7.2条和第13.9.2条的规定；气动系统安装应符合本规范第13.9.3条的规定。

15.3 门式斗轮堆取料机安装

15.3.1 轨道安装应按本规范第15.2.1条规定。

15.3.2 大车行走机构及门架安装应符合下列规定：

　　1 大车行走机构及均衡梁的安装应符合本规范第15.2.2条的要求；

　　2 门架组装应按出厂装配标记进行；

　　3 门架安装宜采用地面组装,整体吊装的安装方法,吊装时应防止构件变形；

4 门架安装后应按表 15.3.2 中的所列项目进行检测，其允许偏差应符合表中的规定。

表 15.3.2 行走机构及机架安装的允许偏差

项次	项 目	允 许 偏 差
1	门架主梁水平度	1/1000
2	轮槽与轨道中心线重合度(mm)	0.5
3	四个行走台车跨度(mm)	8
4	台车梁对角线(mm)	12
5	支腿垂直度(mm)	5
6	支腿标高(mm)	2

15.3.3 活动梁起升机构及尾车安装应符合下列规定：

  1 起升机构运行平稳，起升过程中活动梁应始终保持水平；

  2 卷扬机滚筒水平度不应大于 0.2/1000；

  3 尾车两侧车轮槽中心重合度不应大于 0.5mm；

  4 尾车支腿跨度偏差应为 ±3mm；

  5 各滑轮及传动系统的转动部分应灵活轻便，活动梁不得歪斜，钢丝绳不跳槽、无卡阻；

  6 起升机构及尾车安装时两侧导轮与导轨的间隙的允许偏差应为 $^{+5}_{\ 0}$mm，尾车腿中心线与轨道中心线的重合度不应大于 5mm。

15.3.4 滚轮机构安装应符合下列要求：

  1 辊与滚圈接触应紧密、均匀，其轴向跳动不应大于 2.5mm，径向跳动不应大于 1mm；

  2 制动闸瓦间隙应为 0.5mm～0.6mm，圆弧板与滚圈间隙的允许偏差应为 $^{+5}_{\ 0}$mm。

15.3.5 夹轨装置安装应符合下列要求：

  1 夹轨装置各节点应转动灵活，夹钳、连杆、弹簧、螺杆和闸瓦不应有裂纹和变形；

2 夹轨装置工作时,闸瓦应在轨道的两侧夹紧,钳口的开度应符合设备技术文件的规定,张开时不应与轨道相碰。

15.4 试 运 转

15.4.1 试运转前应做好下列准备工作:

1 锚定器、栓定器、夹轨器、制动器、限位器、行程开关、急停按钮、保险丝、紧急开关、各种保护元件、总开关等均应处于正常状态;

2 传动构件及零部件无损坏、漏装现象,各部位的螺栓连接应紧固可靠;

3 液压、气动系统的安装应符合设计要求,泵与马达的转向应正确,各元件应调至规定位置;

4 润滑系统油路应畅通,供油正常;

5 电气系统接线应无误,联锁和预警应可靠,电机转向应正确,各种开关、仪表、指示灯和照明应经检查合格。

15.4.2 电气系统、液压、气动系统试验后应进行不少于 2h 的空负荷连续运转,空负荷试运转应符合下列规定:

1 带式输送机应按堆料、取料方向运转,并应进行启动、制动试验,各保护装置应正确、可靠。

2 斗轮传动应启动斗轮传动装置进行连续运转试验,传动应平稳。

3 俯仰传动应符合下列规定:

 1)钢丝绳卷扬机构:由原始位置仰起和俯下至极限位置,应重复进行 3 次,并进行启动和制动试验,制动时间应符合设备技术文件要求。限位开关动作应正确、可靠。

 2)油缸升降机构:臂架由最高位置下降到最低位置,应重复进行 3 次,油路系统工作应平稳、可靠、无冲击。

4 回转机构在回转角度范围内应往复运行,并应进行启动和制动试验,限位开关动作应正确、可靠。

5 走行传动机构在臂架垂直轨道处于仰起、水平、俯下的不同状态的全行程范围内应慢速运行 2 次,臂架平行轨道用高速在全行程范围内往复运行 2 次,进行启动和制动试验,检查大车运动的终点位置、缓冲器碰撞和安全距离,启动应平稳,制动应可靠。

6 逆物流连锁启动和顺物流连锁停机控制:应按"逆物流方向"顺序启动各机构,检查是否符合逆物流方向的连锁控制要求。

7 具有电气自动控制和回转、俯仰、行走机构调速性能的堆取料机应进行专门性能试验,并应符合设计要求。

15.4.3 负荷试运转应符合下列规定:

1 应按堆料及取料作业工艺要求进行不少于累计 6h 的部分负荷试运转(25%~50%额定负荷);

2 部分负荷试运转后应进行额定负荷试运转,堆料、取料作业各连续 2h;

3 额定负荷试运转运行应平稳、可靠,电动机电流正常,保护装置应灵敏、可靠,仪表指示应正确;轴承表面温度和温升应符合本规范第 3.0.12 条的规定。

16 计量设备安装工程

16.1 一 般 规 定

16.1.1 本章适用于电子轨道衡、电子皮带秤、核子秤设备的安装。

16.1.2 设备安装前的检查,除应符合本规范第3.0.6条的规定外,还应符合下列规定:

  1 应按设备装箱清单及图纸对设备型号、规格进行检查,各部件及专用工具的数量应无缺损,各部件的尺寸应与图纸相符;

  2 设备的外形应规则、平直、曲面平整,结构完整,焊缝饱满,表面无缺损和锈蚀等。

16.1.3 设备安装前应对基础进行检查验收和清理,并应与设备主要安装尺寸进行核对。

16.1.4 设备安装前,应根据设计图纸标定设备安装十字中心线、标高线。

16.1.5 垫铁选用和布置应符合本规范附录A第A.1节的规定。

16.1.6 基础螺栓及基础灌浆应分别符合本规范附录A第A.2节和第A.3节的规定。

16.2 电子轨道衡安装

16.2.1 电子轨道衡安装应符合下列规定:

  1 检查预埋件水平标高、平整度,应根据高差配置垫片;

  2 应利用吊装设备和千斤顶等对机械秤台和传感器的吊装就位,并应使用限位装置、调整秤台与四周基础护边间隙均匀;

  3 对机械秤台进行找正,其秤台中心线位置允许偏差应为±2mm,秤台标高允许偏差应为±3mm;

  4 传感器与秤台主梁接触面应垂直,传感器的水平度不应大

于0.1/1000,传感器与秤台主梁之间的间隙应用垫片垫实;

5 称重轨与防爬轨、防爬轨与线路轨道接头的间隙应为5mm~10mm;

6 轨道两端轨面的高低差不得大于2mm,轨距安装尺寸偏差应为$^{+5}_{-2}$mm,内错距不得大于2mm,称重轨和防爬轨的端头不得用火焰切割;

7 秤杆和承重梁的挠度均不得大于1/1000;

8 支重点刀刃对刀承的纵向位移偏差应为±1mm;

9 承重轨长度小于12.5m时不得有接头,当轨长大于12.5m时中间只允许有1个接头,两根轨道接头位置不得放在同一端,所接短轨的长度应大于轨道衡全长的1/3;

10 衡器应安装在直线上,两端直线段应大于25m,设有明显的限速标志,线路坡度不应大于2/1000,轨面横向水平高差应小于2mm;

11 衡器两端应设过度器,过度器与称重轨的横向间距应为$^{+5}_{+1}$mm,纵向间距应为$^{+15}_{+5}$mm;

12 防爬基础与衡器基础为一整体,每端延伸长度不应小于4.5m;

13 防爬底架和防爬轨长度均不应小于4.5m;

14 防爬轨的安装应符合下列规定:
　1)防爬轨的轨道长度不得小于4.5m,且应高于承重轨;
　2)每端线路轨道的平直段长度不得小于25m。

16.2.2 轨道衡调试应符合下列规定:

1 动态电子轨道衡的调试应分为静态调试和动态调试。

2 轨道衡调试应符合设备技术文件和现行行业标准《自动轨道衡》JJG 234的有关规定。

3 静态调试应符合下列规定:
　1)传感器应按设备技术文件的要求进行调整,并应保证各
　　传感器受力均匀,无虚点;

2）应利用一定重量的标准砝码对各传感器受力点进行压量测试，检测其输出值是否一致，各受力点输出值不一致时，应通过接线盒调整输出量使其一致；

3）各输出值调平后，应利用20%以上最大称重标准砝码标定出静态电子轨道衡的标准输出值。

4 动态调试应符合下列规定：

1）应用动力机车牵引已知标准重量的动态检衡砝码车对衡器进行动态称量，检查衡器输出值与标准值的差值，用软件参数进行调整；

2）应符合现行行业标准《自动轨道衡》JJG 234 的有关规定，用硬件或软件的方法，使系统误差的最大值与最小值近似为零。

16.2.3 轨道衡的检定内容应包括静态检定、动态检定、抗干扰性能检验等，检定内容和结果应符合现行行业标准《自动轨道衡》JJG 234 的有关规定。

16.2.4 调试、检定工作完成后，应对其进行"验衡"。

16.3 电子皮带秤安装

16.3.1 皮带秤安装应符合下列条件：

1 皮带秤和皮带秤安装点的输送设备应有防风保护。

2 安装皮带秤的输送机架应有足够的刚度和满足要求的支撑，尤其是在计量段和其前后从（+4）到（-4）的托辊间的相对挠度不应小于 0.4mm，在装秤的部位不应有伸缩、接头或纵梁的拼接，应进行补强和加固（见图 16.3.1-1）。

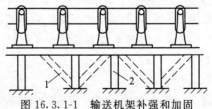

图 16.3.1-1 输送机架补强和加固
1—补强和加固；2—输送机架

3 皮带秤应安装在输送机输送张力和张力变化最小的地方，应安装在输送机尾部，距尾轮处离开落料点的距离不应小于皮带额定速度下 1 秒钟移动距离的 2 倍～5 倍，并应符合下列规定：

   1) 四托辊秤的安装位置距尾部落料点的距离应大于 9m；
   2) 二托辊秤的安装位置距尾部落料点的距离应大于 5m；
   3) 如有导料板（梨煤器），不应少于 3 个托辊间距，以减少其与皮带接触后对秤精度的影响。

4 当输送机有凹段曲面，秤应安装在直线上，秤架尾部距凹形曲线相切点的距离应大于 12m，且秤的前后应有四组以上的托辊间距（见图 16.3.1-2）。

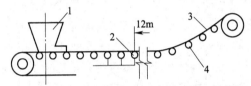

图 16.3.1-2 凹形线段皮带输送机皮带秤安装
1—受料斗；2—秤架机尾；3—输送机皮带；4—输送机托辊

5 当输送机有凸段曲面，秤架尾部距曲线切点的距离、秤架尾部直线与曲线段的切点应大于 5 组托辊间距或大于 6m 的距离（见图 16.3.1-3）。

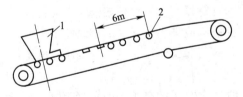

图 16.3.1-3 凸形线段皮带输送机皮带秤安装
1—受料斗；2—秤架机尾

16.3.2 秤架的安装应符合下列规定：

1 秤架应安装在输送机的直线段，并应保证秤架前后三组托辊与胶带接触良好，其间隙不得大于 0.5mm 或符合设备出厂技术文件规定；

2 秤架的安装方向应与皮带的运动方向一致，并应使物料先经称重托辊后经平衡锤,秤架的纵向中心线应与输送机运行中心线一致,允许偏差应为±0.5mm。

16.3.3 称重托辊的安装应符合下列规定：

1 托辊的几何尺寸和槽形角与输送机原托辊完全相同,其轴线应垂直于皮带输送方向,偏差不得大于1°；

2 托辊的位置与装料点的导料栏栅的距离不得小于三个托辊的间距,秤重托辊还应高于输送机原托辊2mm或符合设备出厂技术文件规定；

3 托辊安装就位时,其横向中心应与输送机纵向中心重合,允许偏差应为$^{+3}_{0}$mm；

4 托辊应转动灵活,间距一致,与胶带接触良好；与输送机原托辊的对应点均在一直线上,允许偏差应为±0.5mm。

16.3.4 称重传感器支承横梁应与相邻两组称重托辊平行,且与输送机中心线一致；拉条应平直无扭曲并与称架平面垂直。

16.3.5 测速传感器旋转轴应与安装在回程胶带上的测速滚筒直接耦合,测速滚筒应转动灵活,其中心线与胶带传输方向垂直,与胶带接触面不应少于30°。

16.3.6 电气安装应符合下列规定：

1 积算器的安装位置应避开高温、潮湿环境,并应安装在振动较小的地方,计算器距皮带秤秤架的距离应在60m以内；

2 所有接线都应进入机壳内部接线端子；

3 称重传感器和其他传感器信号线应与电源线分开敷设,不可穿在同一导线管内；

4 各接线盒、插座板的接线应正确,连接可靠；信号缆线与动力缆、线应分开敷设,相距500mm以上,保护接地与工作接地系统应分别敷设,屏蔽电缆电气"零"及部件外壳均应与保护接地线可靠连接,稳压电源输出端子接线正确,显示仪表的散热条件和安装环境应符合设计要求,显示准确,微机控制功能应符合设备技术文件规定；

5 不得使用兆欧表对信号线、电子元件进行检查；

6 所有机壳和导线管都应进行接地。

16.3.7 调试应符合设备技术文件及现行国家标准《连续累计自动衡器(电子皮带秤)》GB/T 7721 的有关规定。

16.4 核子秤安装

16.4.1 核子秤的安装使用应符合国家有关放射源使用许可的管理规定：

1 安装使用核子秤前应按国家有关规定向当地有关主管部门申请放射源使用许可证。装有放射源的铅罐必须在本单位保卫部门登记备案，应制定有关制度，指定专人负责管理，铅罐应上锁，若有丢失，应立即报告上级安全保卫部门及当地有关主管部门。

2 不应在铅罐附近长期停留，应在安置放射源的地方有明显标志。放射源长期不使用时，应把塞子准直孔转向"关"的位置，存放在库房内，应由专人负责保管，保卫部门应定期检查。

3 经过一段时间使用后，由于放射源的衰减，强度不能满足正常工作需要时，严禁自行处理，应与当地有关管理部门联系处理或与厂家联系统一处理。

16.4.2 核子秤安装还应符合下列基本规定：

1 秤体部分应安装在振动小、料流稳、安装、维修、标定方便的地段，露天地段应采取防风、雨、雪措施；

2 主机应安装在主控室或办公房内，应通风好、灰尘少、无强电磁干扰；

3 提供 220V 交流电源，电压变化大于 +10% 和 −15% 时，应加交流稳压器或净化电源，本系统不应和大型动力设备共用电源；

4 系统信号电缆铺设应避开动力线及其他电缆；

5 空间电磁干扰太多的情况应加信号滤波；

6 主机端应铺设接地线，地线阻值应小于 4Ω。

16.4.3 核子秤安装位置应符合设计和出厂技术文件的规定。

16.4.4 秤体机械部分安装(见图16.4.4-1、图16.4.4-2)应符合下列规定：

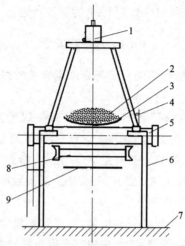

图16.4.4-1 秤体机械部分纵向安装示意图
1—放射源及铅罐；2—物料；3—上行皮带；4—支架角度21°；5—电离室；
6—安装架；7—地面；8—皮带支架；9—下行皮带

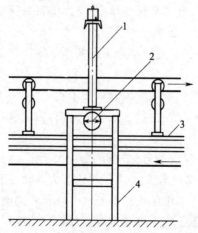

图16.4.4-2 秤体机械部分横向安装示意图
1—A型支架；2—传感器；3—皮带支架；4—安装架

1 安装秤体时,应使秤体支架与地面垂直,支架中心线与输送机中心线重合,秤体套筒上表面与输送机皮带下表面距离应为3cm～4cm,保证最大负荷时不应损坏秤体;

2 放射源铅罐安装时,应注意对准孔的位置,牢固拧紧;

3 电离室灵敏区中心应与皮带中心重合;

4 测速传感器安装位置应正确,固定应牢固;

5 传感器安装时,应轻拿轻放。

16.4.5 现场调试应符合下列规定:

1 核子秤的调试应与胶带机试运转同时进行。

2 打开放射源,接好各部分插头,接通交流220V电源,系统应无异常。

3 应按技术文件操作说明进行操作,各功能应正常。

　　1)核子秤探测器空载输出电压,应在产品技术文件规定的范围;当空载输出电压不满足要求时,应对放射源的强度进行调整;

　　2)测速信号应按运输机的实际速度进行标定;

　　3)实物标定,应严格按产品技术文件规定的程序进行。

4 预热30min后,观察空载输出电压和速度信号,空载输出电压值应在产品技术文件规定范围内,速度信号应能正确反应输送机的允许和停机状态。

5 经标定后的核子秤的计量误差,应符合产品技术文件的规定。

附录 A 机械设备通用部分安装通用规定

A.1 垫 铁

A.1.1 斜垫铁的材料可采用普通碳素钢;平垫铁的材料可采用普通碳素钢或铸铁,不得有裂缝。

检验方法:观察检查、检查材料出厂合格证。

A.1.2 斜垫铁和平垫铁规格(图 A.1.2-1 和图 A.1.2-2),宜按表 A.1.2 选用。

检验方法:观察和尺量检查。

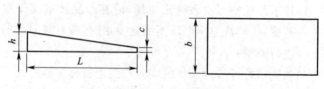

图 A.1.2-1 斜垫铁

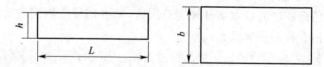

图 A.1.2-2 平垫铁

L—垫铁长度;b—垫铁宽度;
h—斜垫铁最厚端厚度;c—斜垫铁最薄端厚度。

表 A.1.2 斜垫铁、平垫铁规格(mm)

类别	斜垫铁(图 A.1.2-1)					平垫铁(图 A.1.2-2)			粗糙度
	代号	L	b	c	斜度	材料	代号	L	b	材料	
一	斜1	100	50	3	1:15	普通碳素钢	平1	90	50	铸铁或普通碳素钢	12.5
二	斜2	140	70	4	1:15		平2	120	70		

续表 A.1.2

类别	斜垫铁(图 A.1.2-1)					平垫铁(图 A.1.2-2)				粗糙度
	代号	L	b	c	斜度	材料	代号	L	b	材料
三	斜3	180	90	6	1:25	普通碳素钢	平3	160	90	铸铁或普通碳素钢	$\overset{12.5}{\triangledown}$
四	斜4	220	110	8	1:25		平4	200	110		
五	斜5	300	150	10	1:25		平5	280	150		
六	斜6	400	200	12	1:25		平6	380	200		

注：表中 L 为垫铁长度；b 为垫铁宽度；c 为斜垫铁最薄端厚度。

A.1.3 平垫铁厚度 h 可按需要和材料情况决定，但铸铁平垫铁的厚度最小为 30mm，普通碳素钢平垫铁的厚度最小为 10mm。

A.1.4 斜垫铁应与同类平垫铁配合使用。

A.1.5 垫铁组的位置应符合下列要求：

1 除机座下有指定的垫铁位置外，轴承座下及基础螺栓两侧应设置垫铁，条件限制时可在一侧设置；

2 垫铁组在能放稳和不影响灌浆的情况下，宜靠近基础螺栓；

3 相邻两垫铁组间的距离宜为 500mm～1000mm。

检验方法：观察和尺量检查。

A.1.6 每一组垫铁宜减少垫铁的层数，不应大于 3 层（斜垫铁成对使用视为 1 层），并应将各垫铁之间焊牢，但铸铁垫铁可不焊。

检验方法：观察检查。

A.1.7 每一垫铁组的面积应根据设备负荷，并应按下式计算：

$$A \geqslant C \frac{(Q_1 + Q_2) \times 10^4}{R} \qquad (A.1.7)$$

式中：A——垫铁面积(mm^2)；

Q_1——由于设备等的重量加在该垫铁组上的负荷(N)；

Q_2——由于地脚螺栓拧紧所分布在该垫铁组上的压力(N)，可取螺栓的许可抗拉力；

R——基础或地坪混凝土的单位面积抗压强度(MPa)，可取混凝土设计强度；

C——安全系数,宜取 1.5~3。

A.1.8 设备找平后,垫铁应露出设备底座底面边缘,平垫铁应露出 10mm~30mm,斜垫铁应露出 10mm~50mm。

检验方法:尺量检查。

A.2 螺栓连接

A.2.1 螺栓拧紧后,应露出螺母 2 个~4 个螺距。

A.2.2 垫圈与螺母及设备间接触均应贴合。

A.2.3 采用带槽锚板的活动基础螺栓(见图 A.2.3)应符合下列规定:

　　1 活动锚板设置应平整稳固;
　　2 螺栓末端的端面上应标明螺栓 T 形头的方向;
　　3 基础表面上应标明锚板容纳螺栓 T 形头的槽的方向;
　　4 拧紧螺母前,应依据标记将螺栓 T 形头正确地放在锚板槽内。

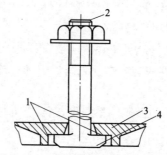

图 A.2.3　带槽锚板的活动基础螺栓
1—锚板上容纳螺栓矩形头的槽;
2—螺栓末端的端面;3—锚板;4—螺栓 T 形头

A.2.4 安设基础螺栓应垂直,不应碰孔底及孔壁。

A.2.5 基础螺栓上的油脂和污垢应清除干净,但螺纹部分应涂油脂。

A.2.6 基础螺栓的紧固,应在混凝土达到规定强度 75% 以后进行。

A.2.7 连接螺栓的型号、规格、数量和防松装置,应符合技术文件的规定。

A.2.8 连接螺栓装配时,螺栓、螺母与连接件的接触应紧密。

A.2.9 不锈钢螺栓连接的螺纹部分,应加涂润滑剂。

A.2.10 构件制孔的允许偏差应符合表 A.2.10-1、A.2.10-2、A.2.10-3 的规定。

表 A.2.10-1 构件螺栓孔距的允许偏差(mm)

螺栓孔孔距范围	≤500	501～1200	1201～3000	>3000
同一组内任意两孔间距离	±1.0	±1.5	—	—
相邻两组的端孔间距离	±1.5	±2.0	±2.5	±3.0

注:1 在节点中连接板与一根杆件相连的所有螺栓孔为一组;
    2 对接接头在拼接板一侧的螺栓孔为一组;
    3 在相邻节点或接头间的螺栓孔为一组,但不包括上述两款所规定的螺栓孔;
    4 受弯构件翼缘上的连接螺栓孔,每米长度范围内的螺栓孔为一组。

表 A.2.10-2 A、B 级螺栓孔径的允许偏差(mm)

序号	螺栓公称直径、螺栓孔直径	螺栓公称直径允许偏差	螺栓孔直径允许偏差
1	10～18	0.00 −0.21	+0.18 0.00
2	18～30	0.00 −0.21	+0.21 0.00
3	30～50	0.00 −0.25	+0.25 0.00

表 A.2.10-3 C 级别螺栓孔的允许偏差(mm)

项 目	允 许 偏 差
直径	+1.0 0.0
圆度	2.0
垂直度	0.03t,且不应大于 2.0

注:t 为构件厚度。

A.2.11 高强度螺栓的型号、规格和技术条件,应符合设计要求和现行国家标准《钢结构工程施工质量验收规范》GB 50205 的有关规定。

A.2.12 构件的高强度螺栓连接表面,不得有氧化铁皮、毛刺、焊疤、油漆和油污。

A.2.13 安装高强度螺栓,应分两次(即初拧和终拧)拧紧,初拧扭矩值不得大于终拧扭矩值的 30%,终拧扭矩值应符合设计要求。

A.3 基 础 灌 浆

A.3.1 地脚螺栓预留孔的一次灌浆工作,应在机器的初步找平、找正,并应经检查合格后进行;灌浆时应符合下列规定:

 1 灌浆前,应将预留孔内的杂物、污垢、积水等清除干净,并需浸湿,环境温度应高于 5℃,否则应采取防冻措施;

 2 各种地脚螺栓有关要求,应符合本附录第 A.2 节的规定;

 3 捣实地脚螺栓预留孔内的混凝土时,不得使地脚螺栓歪斜或机器产生位移;

 4 灌浆混凝土的强度达到 75% 以上后,方可进行机器的最终找平、找正及地脚螺栓紧固工作。

A.3.2 二次灌浆工作,应在机器的最终找平、找正及隐蔽工程检查合格后 24h 内进行,否则在灌浆前应对机器找平、找正的数据进行复测核查。灌浆时应符合下列规定:

 1 基础表面的污垢、杂物等应清除干净,并应进行浸湿;

 2 与二次灌浆层相接触的机器底座底面应清洁、无油垢、无防锈漆等;

 3 隐蔽工程应经检验合格,并签证记录;

 4 二次灌浆前,应按图 A.3.2 所示设置外模板;图中 C 值应大于 60mm,h 值应大于 10mm。

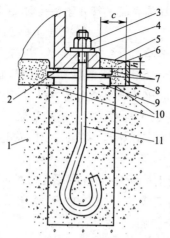

图 A.3.2 地脚螺栓垫铁和灌浆部分示意图
1—地坪或基础;2—底座底面;3—螺母;4—垫片;5—灌浆层斜面;6—灌浆层;
7—成对斜垫铁;8—外模板;9—平垫铁;10—麻面;11—地脚螺栓

A.3.3 带锚板的地脚螺栓孔,应按图 A.3.3 进行灌浆。

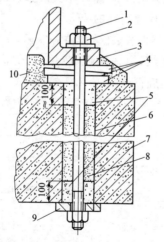

图 A.3.3 带锚板地脚螺栓孔浇灌
1—地脚螺栓;2—螺母、垫圈;3—底座;4—垫铁组;5—砂浆层;
6—预留孔;7—基础;8—砂填充层;9—锚板;10—二次灌浆层

  1 锚板应与基础底面平行并紧密接触,保证砂浆不外流和地脚螺栓垂直;

  2 填充砂应干燥。

A.3.4 一次灌浆和二次灌浆的混凝土骨料,宜采用细碎石配制的混凝土,其标号应比基础混凝土高一级;对于大功率的大型机器应采用微胀混凝土或无收缩混凝土进行灌浆。

A.3.5 一次灌浆和二次灌浆(捣浆)工作,应连续进行,并应捣振密实。

A.3.6 要求混凝土早强时,可在混凝土内掺入早强剂。

A.3.7 当环境温度低于5℃时,在一次灌浆及二次灌浆的养护期间应采取保温防冻措施。

A.4 焊　　接

A.4.1 焊条、焊剂、焊丝和施焊用的保护气体,应符合设计要求。

A.4.2 定位点焊所用焊接材料,应与正式焊接材料相同。点焊高度不宜大于设计焊缝高度的2/3。

A.4.3 焊缝表面不得有裂纹、焊瘤等缺陷,一级焊缝不得有表面气孔、夹渣、弧坑裂纹、电弧擦痕、咬边、未焊满、根部收缩伤等缺陷;二级、三级焊缝应符合表 A.4.3 的规定。

表 A.4.3　二级、三级焊缝的外观检验质量标准

检验项目	缺陷名称	质量分级	
		Ⅱ级	Ⅲ级
焊缝外观质量	接头不良	缺口深度 0.05t,且≤0.5mm	缺口深度 0.1t,且≤1.0mm
		每1000mm焊缝不应大于1处	
	表面气孔	—	每 50mm 焊缝长度内允许直径≤0.4t,且≤3mm 的气孔2个,孔间距≥6倍孔径
	表面夹渣	—	深≤0.2t 长≤0.5t,且≤20mm

续表 A.4.3

检验项目	缺陷名称	质量分级	
		Ⅱ级	Ⅲ级
焊缝外观质量	根部收缩	≤0.2+0.02t,且≤1mm	≤0.2+0.04t,且≤2mm
		长度不限	
	裂纹	—	允许存在个别长度≤5mm的弧坑裂纹
	咬边	≤0.05t,且≤0.5mm,连续长度≤100mm,且焊缝两侧咬边总长≤10%焊缝全长	≤0.1t,且≤1mm,长度不限
	角焊缝厚度不足	≤0.2+0.02t,且≤1mm	≤0.2+0.04t,且≤2mm
		每100mm焊缝长度内缺陷总长度≤25mm	

注:表内 t 为连接处较薄的板厚。

A.4.4 要求与母材等强度的焊缝,应经超声波、X射线探伤检验,其结果应符合设计要求及表 A.4.4-1 和表 A.4.4-3 的规定。

表 A.4.4-1 X射线检验质量标准

项次	项 目		质量标准	
			一级	二级
1	裂纹		不允许	不允许
2	未熔合		不允许	不允许
3	未焊透	对接焊缝及要求焊透的K型焊缝	不允许	不允许
		管件单面焊	不允许	深度不大于10%δ,但不得大于1.5mm,长度不得大于条状夹渣总长度
4	气孔和点状夹渣	母材厚度(mm)	点数	点数
		5.0	4	6
		10.0	6	9
		20.0	8	12
		50.0	12	18
		120.0	18	24

续表 A.4.4-1

项次	项 目		质 量 标 准	
			一级	二级
5	条状夹渣	单个条状夹渣	$1/3\delta$	$2/3\delta$
		条状夹渣总长	在 12δ 的长度内,不得大于 δ	在 6δ 的长度内,不得大于 δ
		条状夹渣间距(mm)	$6L$	$3L$

注:1 δ 为母材厚度;
    2 L 为相邻两夹渣中较长者(mm);
    3 点数为计算指数,是指 X 射线底片上任何 10mm×50mm 焊缝区域内(宽度小于 10mm 的焊缝,长度仍用 50mm)允许的气孔点数,母材厚度在表中所列厚度之间时,其允许气孔点数用插入法计算取整数,各种不同直径的气孔应按表 A.4.4-2 换算点数。

表 A.4.4-2　气孔点数计算

气孔直径(mm)	<0.5	0.5~1.0	1.1~1.5	2.6~2.0	2.1~3.0	3.1~4.0	4.1~5.0	5.1~6.0	6.1~7.0
换算点数	0.5	1	2	3	5	8	12	16	20

表 A.4.4-3　焊接质量检验级别

级别	检验项目	检查数量	检验方法
1	外观检查	全部	检查外观缺陷及几何尺寸,有疑点时用磁粉复验
	超声波检查	全部	
	X射线检验	抽查焊缝长度的 2%,至少应有一张底片	缺陷超出表 A.4.4-1 的规定,应加倍透照,如不合格应 100% 透照
2	外观检查	全部	检查外观缺陷和几何尺寸
	超声波检验	抽查焊缝长度的 50%	有疑点时,用 X 射线透照复验,如发现有超标缺陷,应用超声波全部检验
3	外观检查	全部	检查外观缺陷及几何尺寸

注:1 一级焊缝为承受拉力且要求与母材等强度的焊缝;
    2 二级焊缝为承受压力且要求与母材等强度的焊缝。

A.4.5 焊接连接组装的允许偏差及检验方法,应符合表 A.4.5 的规定。

表 A.4.5 焊接连接组装的允许偏差

项　目	允许偏差(mm)	示　意　图
对口错边 Δ	$t/10$, 且不大于 2.0	
间隙 a	±1.0	
搭接长度 a	±5.0	
间隙 Δ	1.5	

A.4.6 焊缝焊波均匀,焊渣和飞溅物应清除干净。

A.4.7 对接焊缝尺寸的允许偏差应符合表 A.4.7 的规定。

表 A.4.7 焊缝尺寸的允许偏差

示　意　图	项　目		允许偏差(mm)		
			一级	二级	三级
	对接焊缝	焊缝余高 C(mm) $B<20$	0.5～2	0.5～2.5	0.5～3.5
		焊缝余高 C(mm) $B\geqslant20$	0.5～3	0.5～3.5	0.5～4
		焊缝错边 d	$<0.1\delta$ 且不大于 2	$<0.1\delta$ 且不大于 2	$<0.1\delta$ 且不大于 3

A.4.8 部分焊透组合焊缝和角焊缝外形尺寸允许偏差应符合表A.4.8的规定。

表A.4.8 部分焊透组合焊缝和角焊缝外形尺寸允许偏差

项次	项目		示意图	允许偏差(mm)
1	贴角焊缝	焊缝余高 C(mm)		$K{\leqslant}6:0{\sim}+1.5$ $K{>}6:0{\sim}+3$
2		焊角宽 K (mm)		$K{\leqslant}6:0{\sim}+1.5$ $K{>}6:0{\sim}+3$
3	T型连接要求焊透的 K 型焊缝(mm)			$K{\leqslant}\delta/2$ $0{\sim}+1.5$

注:1 $K{>}8.0$mm的角焊缝其局部焊脚尺寸允许低于设计要求值1.0mm,但总长度不得大于焊缝长度10%;

2 焊接H形梁腹板与冀缘板的焊缝两端在其两倍冀缘板宽度范围内,焊缝的焊脚尺寸不得低于设计值。

A.5 皮带传动、链传动

A.5.1 两三角皮带 v 型槽中心线允许偏差应为 $^{+1}_{0}$mm，两链轮齿宽中心线的允许偏差应为 $^{+1}_{0}$mm[图 A.5.1(a)]。

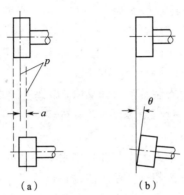

图 A.5.1 皮带轮或链轮传动的位置偏差

a—两轮偏移；b—两轴不平行；P—轮宽中央平面；θ—两轮夹角

A.5.2 链轮轴的平行度[图 A.5.1(b)]不应大于 0.5/1000。

A.5.3 链传动平稳应无卡阻现象。

A.5.4 传动链条的弛垂度，当链条与水平线夹角 α 不大于 45°时，宜为两链轮中心距 L 的 2%；当 α 大于 45°时，宜为 L 的 1%~1.5%（图 A.5.4）。

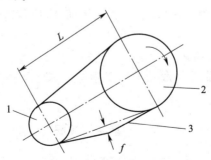

图 A.5.4 传动链条弛垂度

1—从动轮；2—主动轮；3—从动边链条

A.6 减速器安装

A.6.1 整体式减速器安装应符合下列规定：

　　1 箱内应清洁无杂物；清除基础支承面上的脏物，对混凝土基础应铲毛；减速器在安装时，应校准中心线、水平度与相连接部件的相关尺寸；电机与输入轴、输出轴与工作机联接部分的轴线应保证同轴，其误差不得大于所用联轴器的允许值；

　　2 输出轴上安装传动件时，不应用锤子敲击，通常利用装配夹具和轴端的内螺纹，用螺栓将传动件压入，否则有可能造成减速机内部零件的损坏；

　　3 减速机应牢固地安装在稳定水平的基础或底座上，排油槽的油应能排除，且冷却空气循环流畅；

　　4 各紧固件压紧的可靠性，安装后应能灵活转动，无卡滞现象。空载试车不应少于 2h，运转应平稳，无冲击、振动、杂音及漏油现象；

　　5 应根据本附录第 A.8 节的要求，检查齿轮的啮合情况和顶侧间隙。

A.6.2 组装式减速器的装配应符合下列要求：

　　1 箱内应清洁无杂物；

　　2 齿轮啮合的接触情况和顶侧间隙，应符合本附录第 A.8 节的规定；

　　3 不应漏油；

　　4 滑动轴承与滚动轴承的装配，应配合本附录第 A.9 和 A.10 节的规定。

A.7 联轴器装配

A.7.1 凸缘联轴器（图 A.7.1）的装配，两个半联轴器端面（包括半圆配合圈）应紧密接触，两轴的径向位移不应大于 0.03mm。

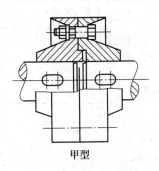 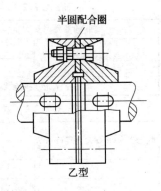

图 A.7.1 凸缘联轴器

A.7.2 十字滑块联轴器(图 A.7.2-1)、挠性爪型联轴器(图 A.7.2-2)的端面间隙和同轴度应符合表 A.7.2-1 和表 A.7.2-2 的规定。

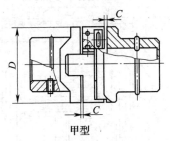

图 A.7.2-1 十字滑块联轴器

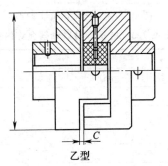

图 A.7.2-2 挠性爪型联轴器

表 A.7.2-1　联轴器端面间隙允许偏差

联轴器外形最大直径(mm)		端面间隙 C(mm)
十字滑块联轴器	D≤190	0.5～0.8
	D>190	1～1.5
挠性爪型联轴器		2

表 A.7.2-2　联轴器同轴度允许偏差

联轴器外形最大直径(mm)	两轴的同轴度,不应大于	
	径向位移(mm)	倾斜度
≤300	0.1	0.8/1000
300～600	0.2	1.2/1000

A.7.3　蛇形弹簧联轴器(见图 A.7.3)的端面间隙和同轴度应符合表 A.7.3 的规定。

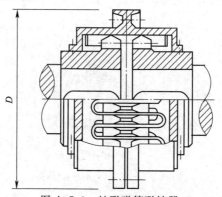

图 A.7.3　蛇形弹簧联轴器

表 A.7.3　蛇形弹簧联轴器允许偏差

联轴器外形最大直径 D(mm)	两轴的同轴度,不应大于		端面间隙 C,不应小于(mm)
	径向位移(mm)	倾斜度	
≤200	0.1	1.0/1000	1.0
200～400	0.2	1.0/1000	1.5
400～700	0.3	1.5/1000	2.0
700～1350	0.5	1.5/1000	2.5
1350～2500	0.7	2.0/1000	3.0

A.7.4 齿轮联轴器(见图 A.7.4)两轴的同轴度和外齿轴套端面处的间隙应符合表 A.7.4 的规定,其润滑要求应符合技术文件规定。

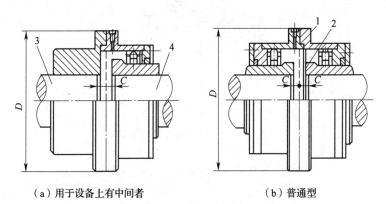

（a）用于设备上有中间者　　　　（b）普通型

图 A.7.4　齿轮联轴器

1—外壳;2—外齿轴套;3—中间轴;4—主轴

表 A.7.4　齿轮联轴器安装允许偏差

联轴器外形最大直径 D(mm)	两轴的同轴度,不应大于		端面间隙 C,不应小于(mm)
	径向位移(mm)	倾斜度	
170～185	0.3	0.5/1000	2.5
220～250	0.45		
290～430	0.65	1.0/1000	5.0
490～590	0.9	1.5/1000	5.0
680～780	1.2		7.5
900～1100	1.5	2.0/1000	10
1250			15

A.7.5 弹性圈柱销联轴器(见图 A.7.5),两轴的同轴度应符合表 A.7.5-1 的规定,端面间隙应符合表 A.7.5-2 的规定,并不应小于实测的轴向窜动量。

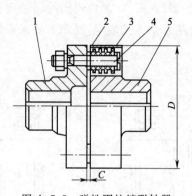

图 A.7.5 弹性圈柱销联轴器

1,5—半联轴器;2—挡板;3—弹性套;4—柱销

表 A.7.5-1 弹性圈柱销联轴器两轴的同轴度允许偏差

联轴器外形最大直径	两轴的同轴度,不应大于	
	径向位移(mm)	倾斜度
105～260	0.05	0.2/1000
290～500	0.1	

表 A.7.5-2 弹性圈柱销联轴器的端面间隙允许偏差

轴孔直径 D(mm)	标准型			轻型		
	型号	外型最大直径 D(mm)	间隙 C (mm)	型号	外型最大直径 D(mm)	间隙 C (mm)
25～28	B1	120	1～5	Q1	105	1～4
30～38	B2	140	1～5	Q2	120	1～4
35～45	B3	170	2～6	Q3	145	1～4
40～55	B4	190	2～6	Q4	170	1～5
45～65	B5	220	2～6	Q5	200	1～5
50～75	B6	260	2～8	Q6	240	2～6
70～95	B7	330	2～10	Q7	290	2～6
80～120	B8	410	2～12	Q8	350	2～8
100～150	B9	500	2～15	Q9	440	2～10

A.7.6 尼龙柱销联轴器(见图 A.7.6)装配要求：

1 两轴的同轴度应符合弹性圈柱销联轴器的装配要求；

2 两个半联轴器连接后,端面间隙应符合表 A.7.6 的规定,并不应小于实测的轴向窜动量。

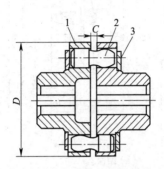

图 A.7.6 尼龙柱销联轴器

1—半联轴器；2—尼龙柱销；3—挡板

表 A.7.6 尼龙柱销联轴器间的端面间隙允许偏差

联轴器外形最大直径 D(mm)	90～150	170～220	275～320	340～490	560～610	670	770	850	880
端面间隙 C 不应小于(mm)	2.0	2.5	3.0	4.0	5.0	6.0	7.0	8.0	9.0

注：木销和其他工程塑料销的联轴器,可符合本条规定。

A.7.7 十字轴式万向联轴器装配应符合下列要求：

1 半圆滑块与叉头的虎口面或扁头平面的接触应均匀,接触面积应大于 60%；

2 在半圆滑块与扁头之间所测得的总间隙 S 值,应符合产品标准和技术文件的规定,当联轴器可逆转时,间隙应取小值。

A.7.8 高弹性橡胶联轴器的装配要求(见图 A.7.8)应符合下列规定：

1 径向位移：1.2mm～6.2mm；

2 轴向位移：0.7mm～3.5mm；

3 角位移:3.2°。

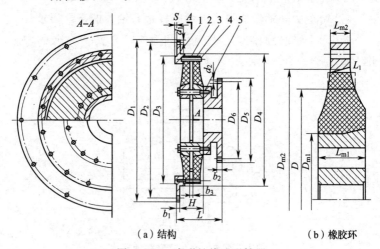

(a)结构　　　　　　(b)橡胶环

图 A.7.8　高弹性橡胶联轴器

1—联接盘;2—外限制盘;

3—橡胶组合环;4—内限制盘;5—联接凸缘

A.7.9 橡胶套筒联轴器的装配要求(见图 A.7.9)应符合下列规定:

1 径向位移应为 0.5mm～2.5mm;

2 角位移应为 1°。

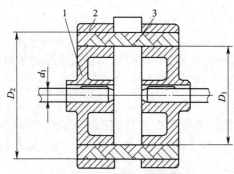

图 A.7.9　橡胶套筒联轴器

1—半联轴器;2—压板;3—橡胶套筒

A.7.10 橡胶板联轴器的装配要求(见图A.7.10)应符合下列规定:
 1 径向位移应为0.5mm～1.5mm;
 2 轴向位移应为1.5mm～3.0mm;
 3 角位移应为0.7°～2.0°。

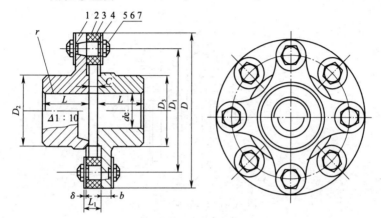

图 A.7.10 橡胶板联轴器

1—半联轴器;2—橡胶板;3—垫圈;
4—柱销;5—六角形螺母;6—垫圈;7—开口销

A.7.11 液力联轴器的装配应符合表A.7.11的规定。

表 A.7.11 液力联轴器装配的允许偏差

项次	质 量 要 求
1	涡轮与泵之间的间隙为2mm～4mm
2	两轴轴向偏差为0.05mm～0.10mm,径向偏差为0.03mm～0.05mm
3	密封圈要保证质量,安装时不要重叠。为防止漏油可把出轴上密封圈压紧弹簧在安装时去掉几圈,使密封圈与出轴套配合紧密
4	所有纸垫都应涂漆片
5	所有连接螺栓受力均匀
6	液力联轴器组装好后要进行耐压试验,试验压力0.5MPa,持续5min不得有渗漏现象
7	易熔保护塞应符合设计文件规定
8	工作用液的品种和充液量应符合设计技术文件规定

A.7.12 粉末联轴器每一间隙中滚珠重量允许偏差应为规定重量的±1%。

A.7.13 轮胎式联轴器(见图A.7.13)装配时两轴心径向位移、两轴线倾斜和端面间隙的允许偏差应符合表A.7.13的规定。

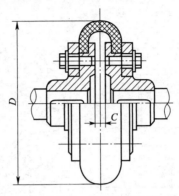

图 A.7.13 轮胎式联轴器
D—联轴器外形最大直径；C—端面间隙

表 A.7.13 轮胎式联轴器装配允许偏差

联轴器外形最大直径 D(mm)	两轴心径向位移(mm)	两轴线倾斜	端面间隙 s (mm)
120	0.5	1.0/1000	8～10
140			10～13
160			13～15
180			15～18
200	1.0	1.5/1000	18～22
220			18～22
250			22～26
280			22～26
320～360			26～30

注：1 径向位移：0.01D；
　　2 轴向位移：0.02D；
　　3 角位移：2°～6°；
　　4 两半联轴器相对扭转角 $Q \leqslant 6° \sim 30°$。

A.8 齿轮装配

A.8.1 齿轮传动的接触要求应符合表 A.8.1 的规定,用着色法检查传动齿轮啮合的接触斑点(图 A.8.1)应符合下列规定:

表 A.8.1 齿轮传动接触斑点的百分值

齿轮类型		精度等能				
		6	7	8	9	10
		接触长度(%),不小于				
渐开线圆柱齿轮	按齿高方向	50	45	40	30	—
	按齿长方向	70	60	50	40	—
渐开线圆锥齿轮	按齿高方向	—	60	50	40	30
	按齿长方向	—	60	50	40	30
齿条传动	按齿高方向	—	45	40	30	25
	按齿长方向	—	60	50	40	30
圆弧齿轮	按齿高方向	70	65	60	50	—
	按齿宽方向	90	85	80	75	—
圆柱蜗杆	按齿高方向	—	60	50	50	—
	按齿宽方向	—	65	50	35	—
蜗轮齿面	按齿高方向	—	80	75	—	—
	按齿宽方向	—	45	25	—	—
蜗杆螺牙齿面上	沿牙长方向	—	60	40	—	—

注:圆弧齿形的圆柱齿面,齿长方向的接触痕迹应同时不小于一个轴节(轴向齿距),齿高方向系指运转时达到额定负荷前,应经过逐级加载走合,其走合后的接触斑点,不应小于上表所规定的百分值。

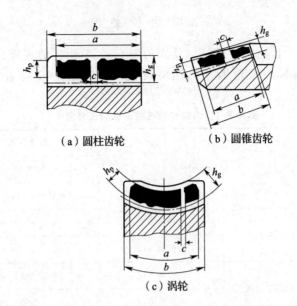

图 A.8.1 着色法检查传动齿轮啮合的接触斑点示意图

1 应将颜色涂在小齿轮(或蜗杆)上,在轻微制动下,用小齿轮驱动大齿轮,使大齿轮转动 3 转~4 转;

2 圆柱齿轮和蜗轮的接触斑点应趋于齿侧面的中部,圆锥齿轮的接触斑点应趋于齿侧面的中部并接近小端;

3 接触斑点的百分值应按下列公式计算:

$$齿长方向百分率 = \frac{a-c}{B} \times 100\% \quad (A.8.1-1)$$

$$齿高方向百分率 = \frac{h_p}{h_g} \times 100\% \quad (A.8.1-2)$$

式中:a——接触痕迹极点间的距离(mm);

c——大于模数值的断开距离(mm);

B——齿全长(mm);

h_p——接触痕迹平均高度(对圆柱齿轮和蜗轮)或齿长接触痕迹中部的高度(对圆锥齿轮);

h_g——齿的工作高度(对圆柱齿轮和蜗轮)或相应于 h_p 处的有效齿高(对圆锥齿轮)。

A.8.2 齿轮传动的齿侧间隙应符合设计技术文件的规定。当无规定时,应符合表 A.8.2-1～表 A.8.2-5 的有关规定。

表 A.8.2-1 渐开线圆柱齿轮的侧间隙

结合形式 \ 中心距(mm)	320～500	500～800	800～1250	1250～2000	2000～3150
较小保证侧隙(μm)	130	170	210	260	360
标准保证侧隙(μm)	260	340	420	530	710
较大保证侧隙(μm)	530	670	850	1060	1400

表 A.8.2-2 渐开线圆锥齿轮的侧间隙

结合形式 \ 分度圆锥母线长度(mm)	320～500	500～800	800～1250
较小保证侧隙(μm)	130	170	210
标准保证侧隙(μm)	260	340	420
较大保证侧隙(μm)	530	670	850

表 A.8.2-3 齿条传动的侧间隙

结合形式 \ 齿轮分度圆径(mm)	320～500	500～800	800～1250	1250～2000
较小保证侧隙(μm)	130	170	210	260
标准保证侧隙(μm)	260	340	420	530
较大保证侧隙(μm)	530	670	850	1060

表 A.8.2-4 蜗杆传动的侧间隙

结合形式 \ 中心距(mm)	≤40	40～80	80～160	160～320	320～630	630～1250	>1250
较小保证侧隙(μm)	28	48	65	95	130	190	260
标准保证侧隙(μm)	55	95	130	190	260	380	530
较大保证侧隙(μm)	110	190	260	380	530	750	

表 A.8.2-5　环面蜗杆传动的侧间隙

结合形式 \ 中心距(mm)	80~160	160~315	315~630	630~1250
较小保证侧隙(μm)	55	95	130	190
标准保证侧隙(μm)	220	380	530	750

注：检验方法塞片或轧铅丝法检验。

A.8.3 渐开线圆柱和圆锥齿轮的齿顶间隙应符合设备技术文件的规定。当无规定时，应符合表 A.8.3 的规定。

表 A.8.3　渐开线圆柱和圆锥齿轮的齿顶间隙

齿　型	标准间隙 C	最大间隙
20°齿标准	$0.25M$	$1.1C$
20°短齿	$0.35M$	$1.1C$

A.8.4 弧齿轮的啮合间隙应符合技术文件规定。当无规定时，应符合表 A.8.4 的规定。

表 A.8.4　圆弧齿轮啮合间隙

齿　形	标准顶间隙	标准侧间隙	
67 型	$0.14Mn$	$Mn=2\sim6$	$Mn=7\sim30$
		$0.06Mn$	$0.04Mn$
Ⅰ、Ⅱ型	$0.14Mn$	$0.06Mn$	

注：检验方法，采用压铅法用游标卡尺检查。

A.8.5 齿轮安装的中心距偏差应符合设备技术文件的规定。当无规定时，应符合表 A.8.5-1～表 A.8.5-5 的规定。

表 A.8.5-1　渐开线圆柱齿轮安装中心距偏差

结合形式	中心距(mm)		
	320~500	500~800	800~1250
	安装中心距偏差(μm)		
较小保证侧隙	±100	±110	±120
标准保证侧隙	±160	±180	±200
较大保证侧隙	±250	±280	±320

A.8.5-2 渐开线圆锥齿轮轴线夹角偏差

结合形式	分度圆锥母线长度(mm)							
	≤50	50～80	80～120	120～200	200～320	320～500	500～800	800～1250
	轴线夹角的上、下偏差(μm)							
较小保证侧隙	±28	±38	±45	±50	±58	±70	±85	±100
标准保证侧隙	±45	±58	±70	±80	±95	±110	±130	±160
较大保证侧隙	70	±95	±110	±120	±150	±180	±210	±250

表 A.8.5-3 齿条传动安装距离偏差

结合形式	相啮合的齿轮分度圆直径(mm)			
	320～500	500～800	800～1250	1250～2000
	安装中心距偏差(μm)			
较小保证侧隙	±100	±110	±120	±1500
标准保证侧隙	±160	±180	±200	±200
较大保证侧隙	±250	±280	±320	±400

表 A.8.5-4 普通圆柱蜗杆传动安装中心距偏差

精度等级 \ 中心距(mm)	≤40	40～80	80～160	160～320	320～630	630～1250
	中心距偏差(μm)					
7	±30	±42	±55	±70	±85	±110
8	±48	±65	±90	±110	±130	±180
9	±75	±105	±140	±180	±210	±280

表 A.8.5-5 普通环面蜗杆传动安装中心距偏差

精度等级 \ 中心距(mm)	80～160	160～315	315～630	630～1250
	中心距偏差(μm)			
7	±25	±50	±75	±100
8	±45	±85	±130	±150

A.9 滑动轴承装配

A.9.1 轴瓦(或轴套)与轴承座的结合面应紧密接触,接触面不能满足技术文件要求时应进行研刮。

A.9.2 轴瓦(或轴套)与轴颈的顶间隙应符合设备技术文件的规定,无规定时,应符合表A.9.2的规定,接触面不能满足技术文件要求时应进行研刮。

表 A.9.2 轴瓦与轴颈的顶间隙

轴颈直径(mm)	轴的转数(r/min)	
	≤1000	>1000
	轴瓦顶间隙(mm)	
18~30	0.04~0.09	0.06~0.12
31~50	0.05~0.11	0.075~0.14
51~80	0.07~0.14	0.10~0.18
81~120	0.08~0.16	0.12~0.21
121~180	0.10~0.20	0.15~0.25
181~260	0.11~0.23	0.18~0.30
261~360	0.14~0.25	0.21~0.34
361~500	0.17~0.31	

注:干油润滑者>1000r/min的规定执行。

A.9.3 轴瓦(或轴套)与轴颈的侧间隙应符合设备技术文件的规定,无规定时,应符合下列规定:

1 一般情况下应等于顶间隙;
2 顶间隙较大时,侧间隙应等于1/2顶间隙;
3 顶间隙较小时,侧间隙应等于2倍的顶间隙。

A.9.4 轴瓦(或轴套)与轴颈的接触面积应符合表A.9.4-1和表A.9.4-2的规定。

表 A.9.4-1 轴颈与乌金瓦的接触

轴颈直径(mm)	接触面积	
	沿轴向长度	下瓦的接触弧面
≤300	不应小于轴瓦长度的 3/4	70°~120°
>300	—	60°~120°
在接触面内每 25mm×25mm 面积接触点数		
第一类(中负荷、连续运转)		不应小于 12 点
第二类(低速、间隙运转)		不应小于 6 点

A.9.4-2 轴颈与铜瓦的接触

接触面积	
沿轴向长度	下瓦的接触弧面
不小于轴瓦长度的 2/3	60°~120°

A.9.5 轴瓦合缝处放置垫片时,应符合下列规定:
 1 在调整顶间隙增减垫片时,两边垫片的总厚度应相等;
 2 垫片不应与轴接触,离轴瓦内径边缘距离不宜大于 1mm;
 3 薄壁轴瓦的垫片宜伸入轴承盖与轴承座的合缝处。

A.9.6 液体静压轴承装配,油孔、油腔应完好,油孔应畅通,节流器、轴承间隙不应堵塞。轴承两端的油封槽不应与其他部位穿通。

A.9.7 轴瓦(或轴套)与轴的接触角度应符合设备技术文件的规定,无规定时,应符合下列规定:
 1 高速轴承(500r/min 及以上),接触角度应为 60°;
 2 低速轴承(500r/min 以下),接触角度应为 90°。

A.9.8 含油轴套装入轴承座时,应符合下列规定:
 1 轴套端部应均匀受力,并不得敲打轴套;
 2 轴套与轴颈的间隙,宜为轴颈直径的 0.07%~0.2%。

A.9.9 尼龙轴套与轴颈间的间隙宜为轴颈直径的 0.5%~0.6%,装配时应涂较多的润滑脂。

A.10 滚动轴承装配

A.10.1 滚动轴承的内外圈不得有裂缝,滚珠或滚柱不得有缺陷,应清洁无杂物,转动灵活。

A.10.2 装配滚动轴承时,轴承与轴肩或轴承座挡肩应靠紧,轴承盖和垫圈应平整,并应均匀地紧贴在轴承端面上。设备技术文件规定有间隙时,应按规定留出。

A.10.3 轴承的轴向游隙应按设备技术文件的规定调整,当设备技术文件无规定时,应根据表 A.10.3-1～表 A.10.3-5 的规定调整。

表 A.10.3-1 径向止推滚珠轴承(6000 型)轴向游动近似值

轴承内径(mm)	轴向游动的限度(mm)	
	轻 型	轻宽型、中型和中宽型
<30	0.02～0.05	0.03～0.09
30～50	0.03～0.09	0.04～0.10
50～80	0.04～0.10	0.05～0.12
80～120	0.05～0.12	0.06～0.15

表 A.10.3-2 圆锥滚子轴承轴向游隙

内径(mm)	最小～最大(μm)[一类]	最小～最大(μm)[二类]
≤30	20～40	40～70
30～50	40～70	50～100
50～80	50～100	80～120
80～120	80～150	120～200
120～180	120～200	200～300
180～260	160～250	250～300
260～360	200～300	—
360～400	250～350	—

表 A.10.3-3 双列圆锥滚子轴承的轴向游隙

轴承内径(mm)	原始轴向游隙(μm)	
	外圈滚道母线的偏角	
	9°～13°	13°～17°
	最小～最大	最小～最大
≤80	200～300	150～250
80～120	300～400	200～300
120～180	400～500	300～400
180～260	500～650	350～500
260～360	650～850	450～600
360～500	800～1000	500～700
500～630	950～1200	700～900
630～800	1200～1500	800～1000
800～1000	1500～1800	1000～1300

表 A.10.3-4 双向止推滚珠轴承(3800型)轴向游动近似值

轴承内径(mm)	轴向游动的限度(mm)	
	轻　型	轻宽型、中型和中宽型
<30	0.03～0.10	0.04～0.11
30～50	0.04～0.11	0.05～0.13
50～80	0.05～0.13	0.06～0.15
80～120	0.06～0.15	0.07～0.18

表 A.10.3-5 滚珠轴承(7000型)轴向游动近似值

轴承内径(mm)	轴向游动的限度(mm)	
	轻　型	轻宽型、中型和中宽型
<30	0.03～0.10	0.04～0.11
30～50	0.04～0.11	0.05～0.13
50～80	0.05～0.13	0.06～0.15
80～120	0.06～0.15	0.07～0.18

A.11 球面轴承

A.11.1 乌金应无夹渣、气孔、凹坑、裂纹或脱胎等缺陷,油囊的形状和尺寸应正确。

A.11.2 轴承各水平结合面应接触良好,轴瓦与轴承座或瓦套应接触紧密,组合后的球面瓦和球面座的水平结合面均不应错口。

A.11.3 轴瓦的球面与球面座的结合面应光滑,接触面积为整个球面的75%左右,并应均匀分布。特殊情况下,在接近水平结合面处,用0.05mm塞尺塞入深度不应大于球面半径的10%,不宜过分修刮球面。

A.11.4 轴瓦垫块与其洼窝接触应密实,接触面积应大于70%。

A.11.5 轴瓦进油孔应清洁畅通,并应与轴承座上的来油孔对正;垫块进油孔四周应与其洼窝整圈接触;带有节流孔板时,应测量节流孔的直径并做好记录,孔板厚度不得妨碍轴瓦垫块与其洼窝的接触。

A.11.6 轴承各部件应有钢印标记。

A.11.7 带垫块的轴瓦与瓦套(见图 A.11.7)的安装应符合下列规定:

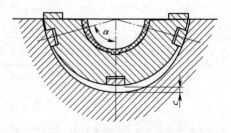

图 A.11.7 带垫块的轴瓦与瓦套的安装

1 两侧垫块的中心线与垂线间的夹角 α 接近于90°时,无论转子是否压在下瓦上,三处垫块与其洼窝均应接触良好,用

0.05mm 塞尺应塞不进去。

2 两侧垫块的中心线与垂线间的夹角 α 小于 90°时,转子压在下瓦上,三处垫块与其洼窝均应接触良好,两侧垫块出现间隙时,则应在下瓦不放转子的状态下,使下侧垫块与其洼窝间留有不应大于 0.05mm 的间隙 C。

3 当 α 为 70°时,C 值宜为 0.03mm～0.07mm,这时两侧垫块不得出现间隙。

4 轴瓦垫块下的调整片应采用整张的钢质垫片,每个垫块的垫片数不宜大于 3 层,垫片应平整、无毛刺和卷边,其尺寸应比垫块稍窄,垫片上的螺栓孔或油孔的孔径应比原孔稍大且要对正,最终定位后,应记录每叠垫片的张数及每张的厚度。

5 垫块与洼窝接触面积不应少于 70%,并应均匀分布。

A.11.8 支持轴承的轴瓦间隙应符合表 A.11.8 的规定。

表 A.11.8 支持轴承的轴瓦间隙

项目		质量标准	测量方法	检验方法
顶部间隙 (mm)	圆筒形轴瓦	$[(1.5\sim2)/1000]D$	压保险丝测量,保险丝直径为测量直径的 1.5 倍,测量不少于 2 次,从 2 个接近的数值中,取 1 个并配合塞尺检查	塞尺检查,检查施工记录
	椭圆形轴瓦	$[(1\sim1.5)/1000]D$		
两侧间隙 (mm)	圆筒形轴瓦	1/2 顶部间隙	塞尺检查阻油边,插入深度为 15mm～20mm	
	椭圆形轴瓦	$[(1.5\sim2)/1000]D$		

注:1 D 大于 100mm,为轴颈直径;
 2 表中较大的数值使用较小的直径。

A.11.9 支持轴承的轴瓦乌金与轴颈接触角度,对圆筒形及椭圆轴瓦宜为45°左右,沿下瓦全长的接触面应达75%以上,并应均匀分布,接触宜呈斑点状,不合格时应进行修刮,不得用砂布打磨乌金面。

A.11.10 配合的轴瓦与轴承球面上,应均匀地涂上掺加石墨的润滑油。

A.12 键、定位销的装配

A.12.1 键的装配应符合下列要求:

  1 键的表面应无裂纹、浮锈、凹痕、条痕及毛刺,键和键槽的表面粗糙度、平面度和尺寸在装配前均应检验;

  2 普通平键、导向键、薄型平键和半圆键,两个侧面与键槽应紧密接触,与轮毂键槽底面不接触;

  3 普通楔键和钩头楔键的上、下面应与轴和轮毂的键槽底面紧密接触;

  4 切向键的两斜面间以及键的侧面与轴和轮毂键槽的工作面间,均应紧密接触,装配后相互位置应采用销固定。

A.12.2 键装配时,轴键槽及轮毂键槽轴心线的对称度应按现行国家标准《形状和位置公差 未注公差值》GB/T 1184的对称度公差等级 H、K、L 选取。

A.12.3 销的装配应符合下列要求:

  1 检查销的型式和规格,应符合设计及设备技术文件的规定;

  2 有关连接机件及其几何精度经调整符合要求后,方可装销;

  3 装配销时不宜使销承受载荷,根据销的性质,宜选择相应的方法装入,销孔的位置应正确;

  4 装配前,检查销和销孔的接触面积,应符合设备技术文件的规定,当无规定时,宜采用其总接触面积的50%~75%;

5 装配中,当发现销和销孔不符合要求时,应铰孔,另配新销;对定位精度要求高的,应在设备的几何精度符合要求或空负荷试运转试验合格后进行。

本规范用词说明

1 为便于在执行本规范条文时区别对待,对要求严格程度不同的用词说明如下:
　　1)表示很严格,非这样做不可的:
　　　　正面词采用"必须",反面词采用"严禁";
　　2)表示严格,在正常情况下均应这样做的:
　　　　正面词采用"应",反面词采用"不应"或"不得";
　　3)表示允许稍有选择,在条件许可时首先应这样做的:
　　　　正面词采用"宜",反面词采用"不宜";
　　4)表示有选择,在一定条件下可以这样做的,采用"可"。
2 条文中指明应按其他有关标准执行的写法为:"应符合……的规定"或"应按……执行"。

引用标准名录

《电气装置安装工程电气设备交接试验标准》GB 50150
《电气装置安装工程电缆线路施工及验收规范》GB 50168
《混凝土结构工程施工质量验收规范》GB 50204
《钢结构工程施工质量验收规范》GB 50205
《机械设备安装工程施工及验收通用规范》GB 50231
《工业金属管道工程施工规范》GB 50235
《现场设备、工业管道焊接工程施工规范》GB 50236
《制冷设备、空气分离设备安装工程施工及验收规范》GB 50274
《煤矿井巷工程施工规范》GB 50511
《煤矿设备安装工程质量验收规范》GB 50946
《压力容器》GB 150
《形状和位置公差 未注公差值》GB/T 1184
《工业用金属丝编织方孔筛网》GB/T 5330—2003
《连续累计自动衡器(电子皮带秤)》GB/T 7721
《焊接工艺规程及评定的一般原则》GB/T 19866
《脱脂工程施工及验收规范》HG 20202
《自动轨道衡》JJG 234
《矿井提升机和矿用提升绞车 盘形制动器》JB 8519
《煤矿建设安全规范》AQ 1083

中华人民共和国国家标准

煤矿设备安装工程施工规范

GB 51062-2014

条文说明

制 订 说 明

《煤矿设备安装工程施工规范》GB 51062—2014 经住房城乡建设部 2014 年 12 月 2 日第 671 号公告批准发布。

  本规范的制定原则和指导思想是：贯彻执行国家有关法律、法规和方针、政策，严格按照住房城乡建设部《工程建设国家标准管理办法》和《工程建设标准编写规定》编制；以科学、技术和实践经验的综合成果为基础，具有前瞻性、科学性和可操作性；以安装工艺为核心，体现现代水平，淘汰落后设备，促进新工艺、新技术、新设备的发展，以取得最佳的经济效益和社会效益。涉及煤矿人身、设备安全、环境保护的内容也列入本规范。

  本规范在制定过程中，编写组进行了深入的调查研究，以多种形式广泛征求了施工单位、矿区建设单位、质监站、高等院校等单位和煤炭行业老专家的宝贵意见和建议，并经多次专家会议讨论、审查，编制组反复修改、补充和完善，最后本规范经审查定稿。

  本规范与现行国家标准相一致，在使用过程中可以与行业现行标准或要求相结合。为了便于设计、施工、科研、学校等单位有关人员在使用本规范时能理解和执行条文规定，《煤矿设备安装工程施工规范》编制组按章、节、条顺序编制了本标准的条文说明，对条文规定的目的、依据以及执行中需注意的有关事项进行了说明，还着重对强制性条文的强制性理由做了解释。但是，本条文说明不具备与规范正文同等的法律效力，仅供使用者作为理解和把握规范规定的参考。

目　次

1 总　则 …………………………………………………… (203)
3 基本规定 ………………………………………………… (204)
4 提升系统安装工程 ……………………………………… (205)
　4.1 多绳摩擦式提升机安装 ……………………………… (205)
　4.2 缠绕式提升机及矿用提升绞车安装 ………………… (205)
　4.3 立井井筒装备安装 …………………………………… (205)
　4.4 钢结构井架安装 ……………………………………… (206)
　4.5 井底装载硐室设备安装 ……………………………… (207)
　4.8 井上、下操车设备安装 ……………………………… (208)
　4.9 提升设施安装 ………………………………………… (208)
5 矿井运输系统设备安装工程 …………………………… (209)
　5.1 胶带输送机安装 ……………………………………… (209)
　5.3 转载机安装 …………………………………………… (209)
6 通风系统设备安装工程 ………………………………… (210)
　6.1 一般规定 ……………………………………………… (210)
　6.5 防爆盖安装 …………………………………………… (210)
7 压气系统安装工程 ……………………………………… (211)
　7.1 一般规定 ……………………………………………… (211)
　7.2 压缩机安装 …………………………………………… (211)
　7.4 试运转 ………………………………………………… (211)
8 排水系统安装工程 ……………………………………… (212)
　8.2 离心泵安装 …………………………………………… (212)
　8.3 潜水电泵安装 ………………………………………… (212)
　8.5 试运转 ………………………………………………… (212)

9 水处理设备安装工程 (213)
9.1 一般规定 (213)
9.2 污水处理设备安装 (213)
9.3 井下水净化设备安装工程 (213)

10 瓦斯抽排系统安装工程 (214)
10.1 一般规定 (214)
10.2 固定式瓦斯泵站设备安装 (214)
10.3 移动式瓦斯抽排泵站设备安装 (214)
10.4 室内管道及附属设施安装 (214)

11 矿井管道安装工程 (216)
11.1 一般规定 (216)
11.2 排水、供水、洒水管道安装 (216)
11.3 压缩空气管道安装 (217)
11.4 瓦斯抽排管道安装 (217)
11.5 注氮管道安装 (218)

12 井下采掘设备安装工程 (219)
12.2 液压支架安装 (219)
12.3 悬移顶梁及滑移顶梁液压支架安装 (219)
12.4 滚筒式采煤机安装 (219)
12.5 刨煤机安装 (219)
12.6 乳化液泵站与喷雾泵站安装 (219)
12.7 掘进机、连采机、挖装机安装 (220)
12.8 破碎机安装 (220)
12.9 除铁器安装 (220)

13 矿井其他机械设备安装工程 (221)
13.1 无极绳绞车、凿井绞车及其他各类小型绞车安装 (221)
13.2 翻车机安装 (221)
13.3 排矸设备安装 (222)
13.4 卸载站安装 (222)

13.5 注氮设备安装 …………………………………………… (222)
13.6 液压注浆泵安装 ………………………………………… (223)
13.7 液压泵站安装 …………………………………………… (223)
13.8 泥浆泵安装 ……………………………………………… (224)
13.9 闸门安装 ………………………………………………… (224)
13.10 溜槽安装 ……………………………………………… (224)
13.11 甲带式给料机安装 …………………………………… (225)
13.12 防跑车装置 …………………………………………… (225)

14 井下空气调节系统安装工程 …………………………… (226)
14.1 空气加热室设备安装 …………………………………… (226)
14.2 制冷系统设备安装 ……………………………………… (227)

15 斗轮式堆取料机设备安装工程 ………………………… (229)
15.1 一般规定 ………………………………………………… (229)

16 计量设备安装工程 ………………………………………… (230)
16.1 一般规定 ………………………………………………… (230)
16.2 电子轨道衡安装 ………………………………………… (230)
16.3 电子皮带秤安装 ………………………………………… (230)
16.4 核子秤安装 ……………………………………………… (231)

附录 A 机械设备通用部分安装通用规定 ………………… (232)

1 总 则

1.0.1 本条指出制定《煤矿设备安装工程施工规范》的目的,规范中各条款都是为实现这个目的而制定的。

1.0.3 本条对煤矿设备安装工程涉及的专业外设备、设施以及相关技术质量、安全、环境保护等方面的标准规定,应遵循相关国家现行标准及规范的规定。

3 基本规定

3.0.1 煤矿设备安装工程具有很强的专业性,本条对从事煤矿设备安装施工企业的资质、技术水平进行了要求。

3.0.2 为保证设备安装检测数据准确可靠,所使用的计量器具、检测设备必须由有资质的单位鉴定、校准合格,且在有效期限内使用。

3.0.5~3.0.7 这几条主要是强调对设备安装过程中施工质量进行过程控制,以保证各环节的安装质量,并做好施工记录,加强施工技术档案管理。

3.0.10 本条为强制性条文,必须严格执行。在煤矿井下进行氧气、乙炔及焊接时,可能引起煤尘、瓦斯爆炸,属于重大危险源,故必须严格执行《煤矿安全规程》相关规定。

4 提升系统安装工程

4.1 多绳摩擦式提升机安装

4.1.2 本条第 3 款规定轴承座操平找正时,如水平度相差较大,应更换两侧的垫铁调整,当水平度相差微小时,通过斜垫铁向里或向外的位置变化进行调整。第 4 款,紧固地脚螺栓过程中,由于受力不均,易造成设备位置特别是水平度的变化,故在紧固地脚螺栓后,应复检测相关的数值,超出规范要求时应重新进行调整。

4.1.7 本条第 5~7 款规定制动手把在三个不同位置时,电液调压装置的电流值及压力值,以保证施闸压力呈线性变化。

4.2 缠绕式提升机及矿用提升绞车安装

4.2.2 本条第 4 款根据《矿井提升机和矿用提升绞车安装 安全要求》GB 20181—2006 中第 4.4.12 条制动器安全制动空行程时间应符合盘形制动器不应超过 0.3s 的规定编制。

4.2.3 本条第 7 款第 1 项根据《煤矿安全规程》2012 版第四百三十三条编制。

4.3 立井井筒装备安装

4.3.1 本条第 1 款重点是施工前应了解的信息,为施工做前期技术资料准备,信息覆盖面可以比本条扩展。本条第 2 款,吊盘中间通风面积和吊盘与井壁接触的环缝,总面积要满足矿井通风要求。本条第 3 款规定"对未贯通立井(盲井),施工过程中应保证通风、排水要求",是防止采用自然通风而造成通风量不足,所以应在上井口采用压入式机械通风方式。本条第 6 款规定"冬季施工时,应有防止井筒结冰的措施",防止井筒结冰的措施一般采用将空气加热后送入井筒,或改变矿井风流方向,将在建井筒改为回风井,避免井筒结冰。

4.3.2 本条第1款根据现行《煤矿安全规程》编制。悬吊绳指吊盘绳、绞车提升绳、风水管提升绳、电缆提升绳和利用钢丝绳下放永久电缆,均应保证《煤矿安全规程》中所规定的安全距离。本条第2款强度验算指按整个施工期间最不利的施工状况进行验算。本条第4款规定施工组织设计应全面完整,便于指导施工,便于审查,便于追溯。本条第7款规定防过卷高度指下放长件材料时应满足的高度。本条第14款规定氧气瓶和乙炔瓶要分开放置,立井施工时应分上下层吊盘放,较小井径时,瓶间要隔离。

4.3.3 本条第1款规定对基准梁的复测,防止基准梁的安装错误扩大到整个井筒的标准段。本条第7款规定相对两罐道间距不应同时产生负偏差,防止容器运行不畅。

4.3.4 本条第1款规定爆破方式开凿梁窝应编制安全技术措施,目的是保证施工安全,对井壁尽量减少破坏。本条第3款规定主要考虑该段钢梁结构复杂,施工时困难较多,应有完善的技术方案。

4.3.5 本条第1款规定主要考虑管子托梁的主梁影响用稳车下放管路通过该层管路支梁。

4.3.6 本条第2款规定加接辅助细钢丝绳是方便井下向变电所拖运并方便与主放钢丝绳解开,电缆下端加棒形重物是防止电缆头弯曲,窜入梁档内。本条第8款防止电缆溜跑措施,是指电缆滚筒要采取刹车装置。

4.4 钢结构井架安装

4.4.1 本条第1款规定的现场环境是指涉及组立井架的各种因素。本条第7款规定土层应夯实,并加放二层坑木,以防止抱杆不均匀下沉。必要时,可采用混凝土抱杆基础。本条第9款规定"揽风绳仰角不宜大于40°",当缆风绳仰角大于40°时,易形成上拔力,不利于地锚的稳定性。本条第 11 款规定"在井筒冻结期间竖立桅杆时,应对冻结沟槽采取保护措施",可采用加大抱杆与冻结圈距离,抱杆采用混凝土基础等措施保证施工和盐水沟槽的安全。

4.4.3 本条第 8 款规定"在可能产生局部变形的部位,应采取补强措施",主要是对吊耳、铰链、井架吊点处应采取局部补强。本条第 9 款规定"组对主斜架与副斜架之间横梁时,应注意横梁的安装方向",主要是因为两端斜度不一定相同,要标志方向性。当立架采取整体提升时,主、副斜架之间的横梁影响立架就位,因此要注意先后施工顺序。

4.4.4 本条第 6 款规定"采用桅杆起立主斜架接近设计位置时,应观察主提开绳与主斜架的夹角不宜大于 90°",因为夹角大于 90°时,对抱杆增加向下压力。

4.4.5 本条第 4 款规定"竖立副斜架过程中不应使主斜腿的地脚螺栓受力",因为竖立副斜架过程中,主斜架存在向副斜架方向的倾覆力矩。本条第 7 款规定"起吊过程中应保持副斜架两组滑车受力均衡",指两组滑车牵引绳之间应设平衡轮或平衡梁,仔细观察两组滑车受力并及时调整。

4.4.6 本条第 3 款规定"找正时,应用经纬仪在两个方向观测",主要是观测井架纵横向轴线应符合设计要求。

4.4.7 本条第 1 款规定"立架上的吊装受力梁应能承受立架起吊最大受力",所说的受力梁是指生根受力和立架上的起吊受力点两个吊点位置。

4.4.8 本条第 1 款规定"两台汽车起重机抬吊时,宜采用对称布置的方式,并应保持同步",主要因为两台汽车起重机同时作业时,不易平衡受力,可能造成汽车起重机折杆倾倒事故,所以要注意两台车的同步与协调动作。

4.5 井底装载硐室设备安装

4.5.3 本条第 4 款规定"井壁预留梁窝在封堵前,应将梁窝内杂物清理干净,钢梁下应用钢结构和垫铁垫平、垫实",主要是钢梁下的缝隙如果处理不好,钢梁受力后易出现质量问题,可采取钢结构和垫铁垫平,钢结构的强度要能满足要求,封堵混凝土的标号应符合设计要求,封堵密实。

4.8 井上、下操车设备安装

4.8.3 本条第 2 款规定"待堵梁窝的混凝土强度达到设计值的 75%时,应拆除堵梁窝板,检查堵梁窝质量",主要是考虑井筒内施工条件差,混凝土强度达到要求后方可拆模。

4.9 提升设施安装

4.9.1 本条第 4 款规定"利用永久多绳天轮和凿井绞车下放提升容器,使用导向轮时导向轮强度应符合施工要求",导向轮是井塔(架)上的永久设备,强度涉及导向轮本身强度和井塔(架)强度。

4.9.2 本条第 3 款规定"提升容器下放时,应检查凿井绞车、天轮平台等受力情况及出绳偏角",主要检查凿井绞车制动系统,以保证容器下放安全。

4.9.3 本条第 6 款规定"首绳在滚筒上的绳槽应与设备出厂的分绳器相匹配",绳槽分使用绳槽和备用绳槽两种,且与分绳器配合,不要随意使用。

4.9.4 本条第 1 款规定"用井架上的梁吊装天轮时,应核算起吊梁的强度"是因为井架最高层的平台梁断面较小,所以要核算强度。

4.9.5 本条第 1 款规定"由井下向上提尾绳时,施工前应对提升机静张力差进行校验",校核张力差主要是确定向上带尾绳的根数,防止首绳在滚筒上打滑。本条第 8 款规定"由井下向上提尾绳时,绞车运行速度宜控制在 0.5m/s 以内",上提尾绳速度过快,易造成下井口绳滚转动过快,引发事故。

5 矿井运输系统设备安装工程

5.1 胶带输送机安装

5.1.2 本条第 8 款规定了不同的胶带可选择不同的接头方法,但应保证抗拉强度达到设计要求。

5.3 转载机安装

5.3.1 本条第 2 款规定了转载机搭接长度和机头最低点与机尾最高点的间隙,可满足转载效果,且转载处不易发生撞击事故。

6 通风系统设备安装工程

6.1 一般规定

6.1.1 本条第 2 款规定"叶轮旋转方向和定子导流叶片的导流方向应符合设备技术文件的规定",主要是通风机叶轮为可调式时,应调整叶片角度,达到通风机运转特性。

6.1.3 本条第 1 款规定"整体出厂的通风机搬运和吊装时,绳索不得捆绑在转子和机壳上盖或轴承上盖的吊耳上",钢丝绳或吊带应从轴两端分开悬挂,并加软质物料加以防护,绳从设备底部要考虑起吊重心,防止偏斜,起吊高度不宜过高。

6.5 防爆盖安装

6.5.5 本条规定防爆盖安装完后做升降试验时,应做好调平工作。

7 压气系统安装工程

7.1 一般规定

7.1.5 本条是在一般情况下的规定,如有特殊技术要求,应按设备技术文件的规定执行。

7.2 压缩机安装

7.2.1 本条第 2 款规定"压缩机组装前应检查零件、部件的原有装配标记,下列零件和部件应按标记组装",打有标记的零件、部件在制造厂已经过选配和调整,不能互换,在组装前应做好核查工作,避免错装,保证原始装配精度。本条第 5 款第 2 项规定"卧式气缸轴线对滑道轴线的同轴度允许偏差应符合表 7.2.1 的规定",气缸轴心线对滑道轴心线的同轴度是由制造厂保证的,在组装时应注意按规定装配完整,恢复其原始的装配精度。本条第 5 款第 3 项规定"立式气缸找正时,活塞在气缸周围的间隙应均匀,其最大与最小间隙之差不应大于活塞与气缸间平均间隙值的 1/2",卧式气缸和底部浇有轴承合金的活塞考虑磨损,而活塞在安装时的预先抬高量以及在气缸内上下间隙的大小,均应由设计和制造单位规定,施工单位实际做法也不一致,故未作统一的规定。

7.2.2 参照各制造厂的出厂规定,目前螺杆式压缩机均为整体出厂,因此本节规定均按整体出厂制订。

7.4 试运转

7.4.1 本条第 2 款规定"冷却水水质应符合设计要求",防止冷却水腔结垢堵塞水路。

8 排水系统安装工程

8.2 离心泵安装

8.2.1 整体出厂的泵在安装前一般应进行外观检查,合格后方可进行安装。如超过油封保质期或由于长途运输,设备内部或零件表面历时太久会使油脂变质、加工面生锈以及积落污物等,因此,应进行清理和检查。解体安装的泵在厂内预装后往往拆成组件或部件的方式运到施工现场,其组件或部件的加工面上所涂的防锈漆或油脂,也必须清洗洁净并经检查合格后再组装。

8.2.6 高转速泵和大型解体泵出厂时,转子部件与壳体部件之间的径向总间隙一般有规定。由于泵转子部件直径尺寸大小不同,其间隙也有差别,应符合设备技术文件的规定,所以在条文中未作具体规定。

8.3 潜水电泵安装

8.3.3 第5款规定"潜水泵在规定的使用条件下使用,机组潜入水中的深度应符合设备技术文件的规定",水泵进水口宜在动水位1m以下,电动机下端距井底不小于3m。

8.5 试 运 转

8.5.4 本条第3款规定"泵启动后应快速通过喘振区",因为喘振时泵与管路产生激烈振动及低沉噪声,使泵的流量、扬程和效率急剧下降而无法正常运行。喘振区是泵的零部件包括管道部件遭受破坏的一个危险区段,启动后快速通过喘振区,是保证泵安全运行的先决条件。这样,应合理选择泵的工况点,不要在不稳定的小流量区域内工作。泵的安装高度应符合设计要求,泵的吸入管线应简单,尽量不装过多的阀门及少装弯头等管件,以减小吸入阻力损失。

9 水处理设备安装工程

9.1 一 般 规 定

9.1.4 本条规定"所有的零部件表面应清理干净,配合表面应涂润滑油",清洗后的零部件若不立即装配,应涂上润滑油并用洁净的防潮纸包盖好,防止灰尘落入。

9.2 污水处理设备安装

9.2.4 本条第1款规定"加药泵应按设计要求安装、固定",但加药泵吸口处应装有有效防止杂质进入泵体的装置。

9.2.6 本条第4款第8项规定"曝气管及曝气头系统安装完毕,应做充气试验以检查曝气器布气的均匀性和管路连接的严密性"。曝气管及曝气头充气试验时,曝气器内灌入清水,水面高度宜超过曝气器顶面10cm～15cm。充气试验过程中如发现问题应立即处理,然后再次充气检查,直至合格。

9.3 井下水净化设备安装工程

9.3.2 本条第2款规定"高密度聚乙烯、硬聚氯乙烯、丙烯腈-丁二烯塑料等管道的安装,连接方法应采取粘接连接",连接管材或管件在粘合前,应用棉纱或干布将承口内侧和插口外侧擦拭干净。当表面有油污时,需用棉纱与丙酮等清洁剂擦净。

10 瓦斯抽排系统安装工程

10.1 一般规定

10.1.1 因瓦斯储气罐(柜)已有专门的国家标准,因此,本章不包含瓦斯储气罐(柜)的安装内容。

10.1.2 由于瓦斯具有燃烧和爆炸的特性,因此,必须对设备结合面的防爆间隙进行严格的控制。

10.2 固定式瓦斯泵站设备安装

10.2.2 本条第6款表10.2.2中的数据,是根据设备的重要性并参照其他大型设备安装技术要求确定的。

10.3 移动式瓦斯抽排泵站设备安装

10.3.2 本条第1款规定移动式瓦斯泵站应安装在新鲜风流中,因为煤矿电气设备及控制系统不得安装在回风流中。本条第7款规定"泵站电气设备及监测、监控系统应按井下电气防爆标准进行施工,设备的外壳可靠接地"。接地导体和接地电阻应符合要求,以防止设备漏电造成事故。

10.4 室内管道及附属设施安装

10.4.1 本条第2款第1项规定"室内瓦斯管道不得与任何带电体接触,并应与动力电缆等分开敷设",目的是防止瓦斯管道产生静电。

10.4.2 瓦斯泵站的防爆和防回火装置,是瓦斯泵站重要的附属设施,必须严格按设计及产品技术文件的要求安装。

10.4.4 本条第7款规定泵站投入运行前,应对监测、监控系统进行报警和断电闭锁试验,目的是确保瓦斯泵站投入运行后的安全。

10.4.6 孔板流量计是由一次检测元件(节流件)和二次装置(差压变送器和流量显示仪)组成的流量装置,它不仅是一种计量仪器,通过它可反映泵站设备的工作效率,并用来分析被抽区域的瓦斯含量。

11 矿井管道安装工程

11.1 一般规定

11.1.1 我国大于 1km 的立井虽然很多，但垂深大于 1.6km 的立井目前尚没有，因此，把管道的工作压力暂确定为不大于 16Mpa。

11.1.2 当管道穿越巷道底板、道路、孔洞、墙壁、楼板、屋面时，在管道使用过程中会产生振动、位移、摩擦等现象，可能会使建筑物、构筑物损坏及管道受压损坏等，因此本条提出了相关保护措施和注意事项。

11.2 排水、供水、洒水管道安装

Ⅰ 一般规定

11.2.1 在管道组件及其材料的检验中，当压力管道组件实行监督检验时，还应当提供特种设备检验检测机构出具的监督检验证书。对管道组成件及管道支承件的保管及标识，反映企业的管理、施工水平，是提高施工质量的保障。

Ⅱ 管道加工与制作

11.2.2 本条第 2 款第 1 项对管道组成件原始标识保护进行了规定，如果原始标识被破坏前没有进行移植，或没有进行统一编号，将给施工带来一定困难，甚至造成事故。

Ⅲ 管道安装

11.2.3 本条第 1 款中，法兰连接的管道，当使用多层垫片时，一方面垫片分层后整体性差，另一方面垫片加厚后强度降低。第 2 款中，当管道设计温度低于 0℃、露天装置及处于大气腐蚀环境中，在连接螺栓、螺母上涂以二硫化钼油脂、石墨机油或石墨粉等，

一是为了润滑,二是为了防止螺栓、螺母锈蚀。

11.2.5 本条第 5 款中,采用快速接头的连接管道,当转角大于 2°时,容易使快速接头损坏或造成密封困难。

11.2.10 管道检验应覆盖施工全过程,它既包括进场物资的检验,也包括施工过程的质量控制。

11.2.11 本条第 2 款规定供水管、洒水管应做灌水试验,因为供水管、洒水管一般为静压管道,而排水管道在运行时存在动荷载,所以应做压力试验。

11.2.12 本条规定应先做灌水试验,后对管道进行冲洗。目的是防止处理管道时对管道产生二次污染。

11.2.13 本条第 1 款规定管道防腐蚀施工应符合相关标准的规定,即应符合《工业设备、管道防腐蚀工程施工及验收规范》的规定。第 2 款规定涂料应有制造厂的产品质量证明书,而非产品合格证。

11.3 压缩空气管道安装

11.3.3 本条第 1 款规定压缩空气管道的拐弯角度不应大于 90°,是满足图 1 所示的拐弯角度。

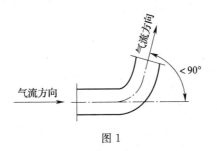

图 1

11.4 瓦斯抽排管道安装

11.4.2 本条第 1 款所说的筛管,是钻孔中与主管相连、其上布置有钻孔、用于吸出瓦斯的管段。

11.4.3 本条第 2 款所说的 PE 管,即聚乙烯管。目前,PE 管广泛用于输送气态人工煤气、天然气和液化石油气等。PE 矿用管在所有的工程塑料中 HDPE 的耐磨性居塑料之冠,最引人注目。分子量越高材料就越耐磨,甚至超过许多金属材料(如碳钢、不锈钢、青铜等)。在强腐蚀和高磨损条件下使用寿命是钢管的 4~6 倍,是普通聚乙烯的 9 倍,而且提高输送效率 20%。阻燃、抗静电性能良好,均达到标准要求。井下使用寿命超过 20 年,经济效益显著,抗冲击,耐磨,双抗效果显著。

11.4.6 本条第 1 款规定"管道的所有阀门应进行壳体压力和严密性试验。"因为瓦斯具有燃烧和爆炸特性,所以应防止瓦斯泄漏而造成事故。

11.5 注氮管道安装

11.5.1 本条第 3 款对用氮气吹扫管道进行了规定,因为空气当中的氧气含量低于 18% 时,人就会呼吸急促,出现缺氧症状,血压上升,思维能力下降。

12 井下采掘设备安装工程

12.2 液压支架安装

12.2.2 本条第4款要求支架定位安装后,及时进行初撑力的调整、这是处于顶板安全的需要。

12.3 悬移顶梁及滑移顶梁液压支架安装

12.3.2 本条对悬移顶梁及滑移顶梁液压支架安装进行了说明。悬移顶梁及滑移顶梁液压支架是体积较小、重量较轻、移动方便的简易支架,近年在一些小型矿井有所使用。

12.4 滚筒式采煤机安装

12.4.1 本条第1款规定"采煤机在入井前应进行地面试运转",目的是对采煤机的加工质量及各系统进行检验。

12.5 刨煤机安装

12.5.2 本条规定刨煤机"设备入井前,应对设备进行编号处理",因为刨煤机特殊部件较多、安装工序复杂,为避免返工,缩短工期,应按设备安装顺序进行编号,以实现快速、安全作业。

12.6 乳化液泵站与喷雾泵站安装

12.6.3 本条为强制性条文,必须严格执行。本条规定"泵站电气设备应严格按有关工艺标准和防爆要求施工,并应对设备外壳进行可靠接地"。为防止设备漏电造成事故,乳化液泵站与喷雾泵站所有设备外壳应可靠接地,并应按防爆要求施工。

12.7　掘进机、连采机、挖装机安装

掘进机、连采机、挖装机的共性部分较多,所以将这几种设备安装安排在一节内。

12.8　破碎机安装

12.8.2　由于破碎机属于重负载设备,所以各种破碎机的安装精度应符合表 12.8.4、表 12.8.5、表 12.8.6、表 12.8.7-1、表 12.8.7-2 的要求。

12.9　除铁器安装

12.9.2　当除铁器安装在运输机卸载滚筒上方时,卸载滚筒最好采用无磁或弱磁材料制成;若安装在其他位置,除铁器下方的胶带上托辊,最好改用无磁或弱磁平直托辊或槽型角为 10°～20°的过渡托辊。

13 矿井其他机械设备安装工程

13.1 无极绳绞车、凿井绞车及其他各类小型绞车安装

13.1.1 由于跑车防护装置及甲带式给料机在煤矿已经得到了广泛的应用,因此,在本规范编制中,新增了跑车防护装置、甲带式给料机安装相关内容。

13.1.5 本条第 4 款规定在凿井绞车安装过程中,应对其减速器内部进行检查,检查内容包括齿轮及轴外观检查、齿轮啮合情况、齿顶间隙、漏油情况。齿轮及轴不得有裂纹,其表面不得有锈蚀、麻点、划痕等缺陷。齿轮啮合情况、齿顶间隙应符合设备技术文件的规定,无规定时应符合本规范附录 A 中第 A.7 节的规定。

13.1.6 本条第 3 款要求在试运转前应检查绞车工作制动,凿井绞车包括安全制动闸进行检查,当松开闸瓦时,平移式闸瓦制动器的闸瓦间隙应均匀,且不大于 2mm,角移式闸瓦最大间隙不应大于 2.5mm,制动时应灵活、可靠。

13.2 翻车机安装

13.2.2 目前煤矿使用的翻车机形式较多,有前倾式翻车机、电动侧卸式翻车机、高位翻车机等,由于电动翻车机使用较为普遍,因此,本规范以电动侧卸式翻车机为基础进行编写。

　　本条第 4 款规定主要是防止溜槽、底架连接处出现撒煤、漏煤现象,溜槽与底架连接部位宜采用橡胶或石棉板密封连接,连接螺栓均匀紧固、牢靠。第 5 款第 3 项规定"主动轴和从动轮轴的水平度不应大于 0.25/1000,且倾斜方向一致",要求主动轮和从动轮倾斜方向应与进车轨道坡度方向相同。

13.3 排矸设备安装

13.3.2 煤矿使用的排矸设备有前卸式箕斗卸矸架、矿车翻矸卸矸架,液压卸矸架也得到了广泛的应用,本规范增加了液压卸矸架安装的相关内容。

卸矸架安装在矸石山轨道的顶端,随着矸石的堆积,矸石山轨道逐步向上移动,卸矸架的卸矸点延长后需要增设托辊时,托辊的间距不应大于10m。

13.4 卸载站安装

13.4.2 第3款第2项规定是考虑到曲轨轨道接头长期处于震动状态,对轨道连接板、连接螺栓应采取焊接和螺栓头点焊定位的防松措施。

13.5 注氮设备安装

13.5.2 吸附剂为设备自带,其型号由厂家提供,应有出厂质量检验报告。

13.5.3 设备、管路、管件、阀门等的脱脂应在系统气密性试验前完成,对于已由制造厂脱脂合格并密封的设备,安装时可不再脱脂,但在安装前应经质检人员检查确认,若发现污物或被油脂污染,则应重新进行脱脂。如采用二氯乙烷、四氯化碳、三氯乙烯脱脂时脱脂件应干燥、无水分。脱脂环境应空气流通。

13.5.7 本条第1款规定井下安装硐室空间应达到设计要求。设计无要求的应便于人员对设备的操作维修和检修,各设备之间不应小于1m,设备与墙的距离不应小于0.8m。第3款主要是考虑到井下环境较差,在注氮设备安装前,应对安装地点的大气压力、环境温度、相对湿度、通风量、粉尘、有害气体等进行测定,必要时应进行处理,使环境达到设备技术文件的要求。

13.5.8 本条第8款规定在找正、调平时底座的纵向、横向不水平度不应大于 2/1000。因为地面固定式制氮机设备中的空气压缩机、空气净化设备(除油器、过滤器、冷冻干燥机、储气罐等)、制氮主机等通常以组装方式安装在底座上。本条第 12 款规定冷却水管、空气管、排污管、氮气管等油漆颜色标识参照《工业管道的基本识别色、识别符号和安全标识》GB 7231—2003 编写。

13.5.11 本条第 6 款、第 8 款规定是根据《煤矿安全规程》编制,采用氮气防灭火时,注入的氮气浓度不小于 97%,在本条编写中,氮气纯度的下限值调整为 97%,输出氮气的纯度应达到 97%以上。

13.6 液压注浆泵安装

13.6.1 注浆泵安装如设计无基础的,其安装应在坚实的基础上,其安装位置应平整、坚实,使注浆泵安装水平并稳固,防止注浆泵在运转过程中发生下沉、振动、偏移等现象。井下使用的注浆泵应使用防爆电机,防爆性能应符合国家现行标准的要求,使用的三角带、高压胶管应阻燃、抗静电,性能符合现行国家标准的要求。

13.6.4 本条第 5 款中,油箱、变速箱在加注液压油时,应用滤网进行过滤,过滤要求应符合本规范第 13.7.2 条的有关规定。

13.6.6 本条第 6 款规定试运转结束后,应立即把注浆泵内清洗干净,并将泵内残存液体排空,将管道用清水冲洗干净,防止水泥硬化磨损柱塞。

13.7 液压泵站安装

13.7.1 对于出厂时已装配、调整完善并且在防锈保证期内的部件(阀件、油泵、已连接好的油管)可不拆卸。但经过外观检查发现有疑问的(如有变形、明显锈蚀、端口未加封盖)应拆卸检查。井下下放、运输、吊装时应有防护措施。

13.7.2 油箱的支撑结构应将油箱底部置于距地基平面 150mm 以上的高度,以便于排放,改善散热条件。液压油在加注时应用滤网过滤,其过滤器的精度不得大于 $20\mu m$,具有伺服阀、比例阀压力处滤油器的过滤精度不得大于 $10\mu m$,液压泵站液压油性能应符合现行行业标准《矿井提升机和矿用提升绞车液压站》JB/T 3277 的有关规定。

13.8 泥浆泵安装

13.8.4 井下使用的泥浆泵应使用防爆电机,防爆性能应符合现行国家标准的要求,使用的三角带、高压胶管应阻燃、抗静电,性能符合现行国家标准的要求。

13.8.15 往复式泥浆泵沉淀池有效深度应保证在 1.2m 以上,泥浆槽的位置应尽量提高,保证液面高于缸套顶部。吸入管要求直,不应出现 90°直弯,以减少管内的摩擦阻力及惯性消耗。

13.8.16 如往复式泥浆泵安装设计无基础的,其安装应在坚实的基础上,其安装位置应平整、坚实,使其安装水平并稳固,防止泥浆泵在运转过程发生中下沉、振动、偏移等现象。

13.8.17 泥浆泵在试运转时,吸入泥浆介质的含沙量、黏度、杂质颗粒物直径应符合设备技术文件的规定,不得有泥团及其他杂物。

13.9 闸门安装

13.9.1 本条针对上方为预埋螺栓连接的受煤口的扇形闸门安装,与溜槽连接的闸门应符合设备技术文件的要求。

13.10 溜槽安装

13.10.2 根据目前煤矿使用情况,耐磨衬板溜槽已得到广泛的应用,本规范增加了耐磨衬板溜槽安装,耐磨衬板固定方法有焊接螺栓法、沉头螺栓固定法。采用焊接螺栓法,如采用瓷环保护电弧气氛焊,电弧集中,焊件被缓慢冷却下来,并形成整齐的标准焊缝。本条针对沉头螺栓固定方法,固定沉头螺栓安装数量应符合设计或技术文件的要求,如设计或技术文件无规定的应符合以下要求:

(1)螺栓数量应符合设计或技术文件的规定,设计或技术文件无规定的每平方米使用的不应少于10条;
(2)螺栓沉头平面必须低于板面;
(3)板材之间的缝隙不应大于5mm。

13.11 甲带式给料机安装

13.11.2 根据目前煤矿使用情况,甲带式给料机已得到广泛的应用,在本规范编写中增加了给料机安装内容。甲带式给料机有悬挂式、支撑式两种固定方式。采用悬挂式时,连接段本身可以作为受料端的悬挂结构,受煤口采用角钢或用螺栓连接。采用支撑式时,在给料机底部用2根槽钢连接和承重。

本条第6款中胶带应阻燃、抗静电,其性能应符合现行国家标准的要求。本条第8款中MB无级变速机在试运转前应加入牵引液($Ub-1$或$Ub-3$),牵引液规格、型号应符合设备技术文件的规定,且液位应到油镜中心线附近。变速机在试运转中一旦发现异常,尤其是听到异常声响,应及时查明原因,必要时可通知厂家处理。

13.12 防跑车装置

13.12.2 本条第3款,收放绞车安装应符合本章13.1节的规定,阻车器安装应符合本规范4.8.6条的规定。本条第6款中所有部件调试,是指吸能器、收放绞车、挡车栏、阻车器、传感装置等设备及部件单机试运转符合本规范及设备技术文件的要求。

14 井下空气调节系统安装工程

14.1 空气加热室设备安装

14.1.4 本条规定阀门的强度试验和压密性试验参照现行国家标准《建筑给水排水及采暖工程施工质量验收规范》GB 50242 相关要求编写。

14.1.6 本条第 3 款规定的供热管道一般有波纹管补偿器。方形补偿器、套筒式补偿器。波纹管补偿器应有流向标记,箭头的方向为介质的流动方向,安装时,应设临时固定装置,待管道安装完成后(包括试压、吹扫合格后)方可拆除临时固定装置。方形补偿器垂直安装时,如其臂长方向垂直安装必须设放气阀及泄水阀,但不得在弯管上开孔安装。套筒补偿器安装应按设计文件规定的安装长度及温度变化留有剩余的收缩余量,设计文件无规定时,剩余伸缩量应进行计算。本条第 4 款规定安全阀、压力表应符合设计文件的要求,必须由有相应资质的单位或部门进行检验后方可安装。

14.1.7 加热器室的热交换器应与散热器有所区别,散热器的主要功能是散热,而热交换器的主要功能是进行热能转换。在空气加热器室安装中,散热器水压试验为散热器组对后,以及整组出厂的散热器在安装前应做水压试验。试验压力如设计无要求时应为工作压力的 1.5 倍,但不小于 0.6MPa。试验时间为 2min~3min,压力不降且不渗不漏。热交换器应以最大工作压力的 1.5 倍做水压试验,蒸汽部分不应低于蒸汽供气压力加 0.3MPa,热水部分不应低于 0.4MPa,在试验压力下,保持 10min 压力不降。本条第 2 款、第 3 款针对在井口房加热室散热口墙体内的热交换器安装,该交换器采用框架固定方式。如采用挂墙式、带足落地式散热器及热交换器安装应符合现行国家标准《建筑给水排水及采暖工程施工质量验收规范》GB 50242的规定。

14.1.8 本条参照现行国家标准《建筑给水排水采暖工程施工质量验收规范》GB 50242的相关要求编写。

14.2 制冷系统设备安装

14.2.7 压缩机制冷机组主要有离心式、有螺杆式、活塞式，近年来螺杆式压缩机工作可靠性不断提高，得到了广泛的应用。本条制冷机组设备安装内容以螺杆式压缩机为基础进行编制，如有其他型式制冷机组（离心式、活塞式）安装，应符合现行国家标准《制冷设备、空气分离设备安装工程施工及验收规范》GB 50274的有关规定。

14.2.8 本条参照现行国家标准《制冷设备、空气分离设备安装工程施工及验收规范》GB 50274的相关要求编制。

14.2.12 本条第1款，水循环系统管路在施工过程中管道内不可避免会产生杂质，所以在调试前应对管道进行清洗，启动循环水泵，将水循环系统运行并清洗循环管路。管路清洗时应利用主循环管道主回路，不得经过设备，以免管内杂质污染设备。该系统由软化装置供水，软化装置由给水管、离子交换器、软化水箱、软化水补给泵、补水定压装置等组成，软化装置安装应符合设备技术文件的要求及现行国家标准《自动控制钠离子交换器技术条件》GB/T 18300的规定。

14.2.15 本条第1款，管路水压试验参照现行国家标准《建筑给水排水及采暖工程施工质量验收规范》GB 50242的相关要求编写。

14.2.24 本条压缩机制冷机组试运转，参照现行国家标准《制冷设备、空气分离设备安装工程施工及验收规范》GB 50274要求编写。制冷系统启动顺序为先开启冷冻水循环系统，再开启冷却水循环系统,最后开启压缩机组,启动后开启储液器出液阀,向系统供液,检查系统高、低压及油压是否正常,到确定制冷工况稳定、运转正常为止。

15 斗轮式堆取料机设备安装工程

15.1 一般规定

15.1.7 本条规定"安装前,对大型构件进行尺寸校核",大型构件的存放不当易产生变形,安装前如不进行尺寸校核,安装后会造成质量问题,且不易矫正。

16 计量设备安装工程

16.1 一般规定

16.1.2 轨道衡设备安装前,应对设备随机技术文件进行检查和验收,内容包括装箱单、产品使用说明书、随机图纸、产品合格证书。出厂检验内容应符合现行国家标准《静态电子轨道衡》GB/T 15561 的相关要求。

16.2 电子轨道衡安装

《静态电子轨道衡》GB/T 15561—2008 第 2 节规范性应用文件中,引用了现行行业标准《自动轨道衡》JJG 234 的相关内容作为上述标准的条款。所以,在本规范的编写中,参照了现行行业标准《自动轨道衡》JJG 234 的要求。

16.3 电子皮带秤安装

16.3.1 本条第 1 款,由于环境会对称重精度产生影响,在皮带秤安装前应对安装位置的环境(风力、温度、湿度、电源和磁场)技术参数进行测定,符合设备技术文件的要求,以提高称重精度。本条第 2 款~第 5 款,规定的目的是减少输送机架振动以及皮带张力变化对称重精度的影响。

16.3.6 本条第 1 款,积算器安装前应对其安装位置的环境(温度、湿度、振动)进行测定,并符合设备技术文件的规定。

16.3.7 调试应由厂家调试人员负责,调试应符合设备技术文件的规定并按现行国家标准《连续累计自动衡器(电子皮带秤)》GB/T 7721 规定的内容进行调试,并出具调试报告。

16.4 核子秤安装

16.4.1 本条为强制性条文,必须严格执行。本条要求核子秤安装前必须有健全的操作规程、岗位职责、辐射防护、安全保卫制度及应急措施等,并应符合《放射性同位素与射线装置安全许可管理办法》的规定,办理申请许可证。

16.4.2 本条为核子秤的安装环境要求,安装环境会影响称重精度,在核子秤安装前对安装位置的环境(风力、温度、湿度、磁场、振动等)技术参数进行测定,应符合设备技术文件的要求。

附录 A 机械设备通用部分安装通用规定

A.3 基础灌浆

A.3.2 所谓二次灌浆,就是将设备底座与基础表面的空隙及地脚螺栓孔用细碎石混凝土或水泥砂浆灌满,以固定垫铁和承受设备负荷。

A.10 滚动轴承装配

A.10.3 游隙检查方法见图 2。顺轴向拨动齿轮和轴,用千分表测量。根据调整端盖的螺距,计算出调整端盖每转动 1 格所得的行程,即可算出游隙。

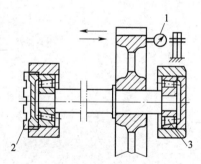

图 2 游隙检查方法示意图
1—千分表;2—调整端盖;3—圆锥滚子轴承